A GUIDE TO
Specimen Management in
Clinical Microbiology

미생물검사
검체 지침

옮긴이 **김택수 · 박정수 · 이재현 · 홍기호**

J. MICHAEL MILLER
and SHELLEY A. MILLER

미생물검사 검체 지침

1판 1쇄 인쇄 | 2022년 2월 22일
1판 1쇄 발행 | 2022년 3월 08일

지 은 이 J. Michael Miller, Shelley A. Miller
옮 긴 이 김택수, 박정수, 이재현, 홍기호
발 행 인 장주연
출 판 기 획 김도성
책 임 편 집 이민지
편집디자인 최정미
표지디자인 김재욱
제 작 담 당 이순호
발 행 처 군자출판사(주)
　　　　　등록 제 4-139호(1991. 6. 24)
　　　　　본사 (10881) 파주출판단지 경기도 파주시 서패동 474-1(회동길 338)
　　　　　Tel. (031) 943-1888　　　Fax. (031) 955-9547
　　　　　홈페이지 | www.koonja.co.kr

ISBN 979-11-5955-825-2
정가 25,000원

Contents

Preface   vii
Acknowledgments   ix
About the Authors   x
역자의 말   *xi*
역자소개   *xii*
How To Use This Book   xiii

1장
검사실의 요구사항을 전달하기 1

기본적인 문제들(Basic Issues) 3

대표 검체 선정 8

검사의뢰서 12

검체 포장 및 운송 14

색으로 구분된 진공 용기 26

의료 시술에 자주 사용되는 카테터 26

검체 우선 순위 30

검체 거절 기준 34

검사실 보고서에 대한 거부 진술 또는 추가 사항 39

특수 검사 41

환경 검체 41

손위생 검체 44

검사실 보고서 44

2장
검체에 관한 지침과 근거 47

채취 시간 49

채취 과정 51

검체 이송 56

검체 처리: 일반 57

검체 처리: 분자 검사 59

하부 호흡기 검체(Lower Respiratory Tract Specimens) 61

소변 검체 63

창상 검체 64

척수액 검체(Spinal fluid specimens) 66

인후와 비인두 검체(Throat and Nasopharyngeal Specimens) 66

질과 자궁내막 검체(Vaginal and Endometrial Specimens) 68

기타 검체들 71

3장
검체 채취 및 처리 73

체액 검체 75
복부-복막 액(천자술, 복수) 75

혈액 검체(Blood Specimens) 77

뇌척수액 82

흉막-흉강천자액(Pleural-Thoracentesis Fluid) 84

위장관 검체 86
십이지장 내용물 86

위 내용물 90

요충 충란 채취(접착 테이프법) 92

직장과 항문 도말 검체 95

아메바증 진단을 위한 구불결장내시경 검체 97

배양 또는 기생충 검사를 위한 대변   99

대변 검체 채취 요령   104

생식기 검체   105

일반 사항   105

자궁경부 혹은 자궁경부내막 검체   108

헤르페스 검사를 위한 생식기 도말 검사   110

요로 및 음경 검체   111

호흡기 검체(RESPIRATORY SPECIMENS)   113

일반 정보(General Information)   113

기관지내시경-기관지 세척액(Bronchoscopy-Bronchial Washing)   115

비강 검체(Nasal Specimens)   119

비인두 검체(Nasopharyngeal Specimens)   121

객담(Sputum)   124

기관 흡인(Tracheal Aspirate)   126

경기관 흡인액(Transtracheal Aspirate)   127

인두 검체(Throat Specimens)   129

소변 검체   131

일반 정보   131

카테터 소변   132

청결 채취 소변   134

방광경 검체: 양측 요도 카테터 삽입   137

소변 배양을 위한 치골 상부 흡인   138

소변 검체: 방광 세척   140

소변 검체: 요관돌창자연결(Ileal Conduit)   141

바이러스, CHLAMYDIAE, RICKETTSIAE 및 FUNGI   143

Chlamydia 배양   143

Mycoplasma 및 *Ureaplasma* spp.에 대한 검체   145

곰팡이 검체(진균 검체)   146

리켓치아 검체(Rickettsial Specimens)   148

바이러스 검체   149

창상 검체 153
일반 사항 153
귀(중이염) 검체 155
눈 검체 158
피부, 결합조직 검체(창상, 농양, 화상, 삼출물) 162

4장
검체 처리 요약 표 165

세균과 진균 검체를 채취 지침 167
흔히 접하기 어려운 미생물 검체 관리 186
바이러스 분리를 위한 검체 지침 188
바이러스 검체 채취 지침 190
기생충학: 진단 단계에 따른 해부학적 부위 196
기생충 검체 채취 지침 198

References 205
Index 211

Preface

신드롬–기반 분자진단 패널검사로부터 검사의 전면 자동화에 이르기까지, 임상미생물학은 18년 전 이 책자의 지난 개정판이 출간된 이후 빠르게 진화해 왔다. 우리는 그간 다수의 약제 내성을 가진 균종에 의한 감염의 증가를 경험하였고, 심각한 에볼라 유행을 극복했으며, 지카 바이러스의 지역적인 유행과 그에 따른 충격적인 결과를 마주하고 있다. 이러한 당대의 미생물들을 제쳐 두더라도, 우리는 HIV, 매독, 인플루엔자 등 인류를 감염시켜온 일일이 꼽기 힘든 미생물과의 전쟁을 이어간다. 그리고 검사 체계, 진단 방식, 그리고 질병들이 이질적이리만큼 진보했음에도 변함없는 하나의 양상을 꼽자면 적절히, 잘 채취된 검체의 필요성이다. 매일 하루 24시간이 아까운 우리의 상황에서, (그렇지 않았을 때 발생할) 문제 해결을 위해 낭비할 시간을 검체의 질에 선제적 관심을 기울이는 것으로 아낀다는 것은 매우 긴요한 일이다.

임상 미생물학자들이 간호사, 의사, 그 외 실제로 검체를 다루는 의료진보다 검체의 선택, 채취, 보존, 운송에 대해 엄격하게 교육받는 것에는 몇 가지 이유가 있다. 통상 미생물학자들은 운송이나 보존 상태와 무관하게, 빈약한 검체에서는 별 도움이 안되는 결과부터 부정확하기까지 한 결과가 의사에게 제공될 수 있다는 것을 알고 있다. 의사들은 미생물 검사실로부터 정확하고 임상적으로 유의미한 결과를 제공받을 수 있다고 믿을 수 있어야 하며, 배양을 위해 제출된 검체의 질과 궁극적으로 그것을 선택하고 채취하고 보관 및 운송한 사람에 대한 신뢰는 이를 위한 출발점인 것이다. 따라서, 이 책자는 모든 의료진들과 그들의 파트너십을 위한 것이다.

이번 개정판의 주된 목표는 검체의 채취와 관리 지침을 송두리째 바꾸려는 것이 아닌데, 왜냐하면 지난 개정판 이후 크게 바뀐 것이 없기 때문이다. 그보다는 이 책자를 보는 이들, 검체 채취인력과 검사실 인력들이 근래 거의 모든 검사실에서 볼 수 있는 검체 관련 최신 정보들을 쉽게 읽고 이해하도록 하려는 것이다(예컨대, 핵산증폭검사). 미생물학에서 분자 검사의 시대에, 검체의 선택, 채취 그리고 운반의 원칙은 지난 세월의 흐름에도 불구하고 그 중요성이 줄지 않았다. 검체의 채취와 관련해서 제조사 유의사항에 세심하게 주의를 기울여야 하며, 검사실에서 자체적으로 대체 과정의 승인을 준비하지 않았다면 (제조사의 지침을) 따라야 한다. 게다가 미국 소재 검사실의 경우, 우리가 매일 행하는 검사들의 가치와 신뢰도를 증명하기 위해 상당한 주의를 기울여야 한다는 것을 되새기게하는 더욱 엄격한 FDA 규정을 목전에 두고 있다.

전통적으로 금과옥조처럼 여기던 배양과 균종 분리에 대한 패러다임이 분자 본위의 방식으로 빠르게 전환되면서, 검사실 커뮤니티로서 우리가 검체 채취자들로 하여금 채취 지침을 준수하도록 지속적으로 독려하고 검사실에 대한 기대에 부응하는 것은 더없이 중요한 일이다. 의료과실의 테두리 안에 있고 발생 전에 이미 재고되어야 했던 잠재적으로 유해한 결과들이 보고되고 있다. 이러한 이슈를 떠나서, 비록 검사실이 분산화된 시대일지라도, 검체라는 것이 단지 우리가 주고받는 면봉, 용기나 액체에 불과한 것이 아니라, 우리의 환자와 그 가족들, 그리고 치료하는 의사들은 정확하고, 유의미하며, 임상적 연관이 있는 결과가 보고되기를 절실하게 바라고, 기대하고 있다는 점을 잊어서는 안된다. 검사실로 제출되는 검체와, 검사실로부터 제출하는 결과가 최적의 질을 갖추도록 하는 것이 우리의 사명이다. 이 책자의 방침과 절차들 그리고 독자들의 지식들을 검체 관리에 관여하는 모든 의료진들과 공유하고, 중요한 정보들을 나누기를 바란다.
우리가 안하면 누가 하겠는가?

J.Michael Miller
Shelley A. Miller

Acknowledgments

John McGowan, Robert Jerris, Mark Neumann, Ellen Jo Baron, Craig Smith, Lynne Garcia, Ben Gold, Don Finnerty, Louis Wilson, William Reichert의 의미있는 리뷰와 건설적인 비판에 대해 감사를 표한다. 국제적으로 저명한 소아 미생물학 전문가인 Karen Krisher과 Joseph Campos의 직접적이고 말할 수 없이 가치있는 도움과 기여에 감사한다. Dr. Harvery T. Holmes가 도와준 요약 테이블에 감사한다. Dr. Robert Jerris와 Children's Healthcare of Atlanta의 검사실 직원들, Dr. Robert Jerris와 UCLA의 검사실 직원들이 이 책의 사진에 많은 참여와 협조에 감사를 표한다. 수년간 환자들을 위한 최선의 결과를 내기 위해 노력하고 지식과 조언을 아끼지 않은 수많은 동료들에게도 감사를 표한다. 그리고 마지막으로, 검사실에서 임상적으로 중요한 결과에 유의한 기여를 하고 있는 수많은 임상미생물 전문가들에게 경의를 표한다.

About the Authors

J. Michael Miller는 현재 검사실 자문회사인 Microbiology Technical Services, LLC의 총괄이다. 그 전에는 2011년 은퇴할 때까지 Centers for Disease Control and Prevention (CDC)에서 35년간 근무했다. 루이지애나의 Northwestern State University에서 의학사, 석사를 하였으며, 샌안토니오 University of Texas Health Science Center at San Antonio에서 박사를 마쳤다. American Board of Medical Microbiology에서 전문의 자격증을 취득하였으며, American Academy of Microbiology에서 펠로우를 하였다. Board of Governors, the American College of Microbiology의 회장을 역임하였고, 조지아 주의 임상 검사실 책임자 면허(Clinical Laboratory Director License)와 뉴욕, 뉴저지의 임상미생물 검사실 책임자 면허(Microbiology Laboratory Director License)를 소유하고 있다.

Shelley A. Miller는 UC Los Angeles에서 임상/공공 보건 미생물 박사 후 펠로우 과정을 마쳤으며, 임상 강사로 임상 교육 및 중계 연구 과제에 참여하였다. UC Santa Barbara에서 의학사를 마친 후 CDC와 Public Health Laboratories가 공동으로 참여하는 Arkansas Department of Health Laboratory의 Emerging Infectious Disease fellowship 1년 과정을 마쳤으며, 그 후 UC Irvine 대학원에 근무하였다. American Board of Medical Microbiology 전문의 자격증 소지자이며, 임상 및 공공 보건 미생물학 모두 자격증(licensed as a technologist)을 가지고 있다. 불행하게도, 그녀는 대(great) Mike Miller와 유전적으로 연관이 없다.

역자의 말

진단검사의학과에서 검체 질의 중요성은 잘 알려져 있습니다. 특히 임상미생물 분야에서는 급성기의 양질의 검체를 다시 얻기 어려운 경우도 많아 적절한 검체를 바르게 채취하는 것은 아무리 강조해도 과하지 않은, 매우 중요한 대명제입니다. 본 역자들이 여러 강의와 과제를 공동으로 진행하며, 국내에 제대로 된 검체 채취 책이 없음을 아쉬워하던 차에, 미국에서 'A GUIDE TO Specimen Management in Clinical Microbiology'의 3판이 개정되어 나왔음을 알게 되었고, 우연히 비슷한 시기에 각자 읽어보았습니다. 비록 국내 상황에 맞지 않는 부분이 있었지만, 한국의 교과서를 쓰기에는 아직은 부족한 역자들이기에, 국내 검체 채취 참고서적이 필요하다는 생각으로 같이 모여 번역서를 내기로 하였습니다. 번역작업을 시작하고, 코로나19 판데믹이 시작되었습니다. 역자들의 작업이 더디어졌고, 검체 채취의 중요성은 더욱 강조되었습니다. 어려운 시기에도 이렇게 결실을 맺게 되어 우리 말로 된 검체 채취 참고 서적을 낼 수 있게 됨을 감사하게 생각합니다. 본 번역의 취지에 공감하고, 기획부터 늦어진 과정마다 독려해주며 기다려준 군자출판사의 김도성 차장님에게 미안함과 고마움을 전합니다. 역자들의 바쁜 일상 가운데서도 추가적인 일을 하는 동안 지지해주고 기다려준 가족과, 역자들이 여기까지 올 수 있도록 이끌어주신 은사님들에게 무한의 감사의 말씀을 드리며, 특히 국내 검체 채취 책자의 필요성을 역자들에게 강조해주신 한림의대 김재석 교수님과 연세의대 이혁민 교수님, 그리고 학회의 여러 선배님들에게 감사의 말씀을 드리고 싶습니다. 이 책을 시작으로 국내의 현실에 맞는 검체 채취 관련 책이 출판될 수 있기를 기대해봅니다. 우리가 아니면 누가 하겠습니까?!

– 역자 일동

역자 소개

김택수 서울대학교 의과대학 졸업
서울대학교병원 진단검사의학과 수련(진단검사의학 전문의)
현) 서울대학교병원 진단검사의학과 근무

박정수 서울대학교 의과대학 졸업
서울대학교병원 진단검사의학과 수련(진단검사의학 전문의)
현) 분당서울대학교병원 진단검사의학과 근무

이재현 전북대학교 의과대학 졸업
전북대학교병원 진단검사의학과 수련(진단검사의학 전문의)
현) 전북대학교 의과대학/전북대학교병원 진단검사의학과 근무

홍기호 서울대학교 의과대학 졸업
서울대학교병원 진단검사의학과 수련(진단검사의학 전문의)
현) 연세대학교 세브란스병원 진단검사의학과 근무

How To Use This Book

이 책은 환자를 치료하는 모든 의료인들을 위해 쓰였기 때문에, 일부는 팀의 특정 멤버들에게 더 유용하다. 이 책은 4개의 부분으로 구성되어 있다.

검사실 필요에 대한 소통 부분
의사, 간호사, 검체 채취자, 검사실 근무자를 위한 부분

이 부분은 미생물 검사실 검체 채취의 질과 관련된 전제들을 설명한다. 검체 질에 대한 개념과, 검체 질과 임상적 중요성에 대한 관계를 소개한다. 그러나 검체 관리에 대한 구체적 내용은 다루지 않는다. 또한 미생물 검사실이 좋은 검사실 검사 수행 방법의 측면에서 지켜야 할 기준을 다룬다.

검체 채취 지침 및 근거
의사, 간호사, 검사실 근무자를 위한 부분

이 부분은 중요한 파트로, 왜 미생물 검사실이 검사 전, 검사 단계, 검사 후 단계(그림 1)를 포함하는 검사 과정의 각각의 과정에 참여해야 하는지를 설명한다. 검체의 질에 대한 엄격한 표준에 대한 근거를 제시하고, 임상미생물 전문가가 왜 검체로 검사하는 것을 거부하거나, 추가적인 정보를 요구하는지에 대한 이유를 설명한다.

검체 채취 및 처리
모든 검체 채취자 및 검사실 근무자를 위한 부분

이 "~ 검체를 채취하는 방법"은 검사실 근무자를 위해 Clinical and Laboratory Standards Institute 방식으로 기술되었으며, 그들의 술기 지침의 채취 부분을 준비하는 데 도움을 주는 목적으로 쓰였다. 이 부분은 검체를 선택하고, 채취하고 보관하였다가 검사실로 운송하는 모든 의료인들을 위한 지침을 제공하고 있다. 각각의 지침은 검사실 또는 간호 지침의 검체 채취 부분으로 사용될 수 있다. 이 부분에는 소아를 위한 특수한 내용도 포함하고 있다.

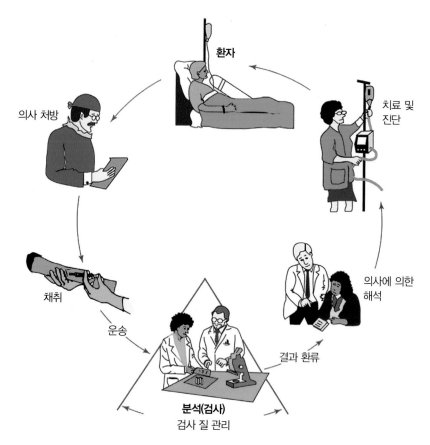

그림 1. 전체 검사행위 과정. 검사실 구성원은 단순히 검사 과정만 관리하는 것이 아니라, 검체를 관리하는 모든 측면에 참여해야 한다.

검체 관리 요약 테이블

검체 관리에 대해 참여하는 모든 사람

이 부분은 세균, 바이러스, 진균, 기생충의 검사를 위한 모든 검체 채취를 테이블 형태로 요약하여 제시하고 있다. 특정 검체에 대한 대부분의 질문들에 대해 답을 제시하는 신속 참고자료로 사용할 수 있다.

1장
검사실의 요구사항을 전달하기

검체 관리가 적절한지 그렇지 않은지는 여러 가지 매우 중요한 형태로 환자의 치료에 영향을 미친다. 적절한 검사실 진단의 핵심이며, 환자 치료 및 예후에 직접적으로 반영되며, 치료 결정에 영향을 주게 되고, 의료관련감염관리를 비롯하여 환자의 재원기간 및 의료비용, 검사 비용 및 효율, 항생제 사용 관리에 들어가는 노력에 있어서도 중요한 부분을 차지하게 된다. 나는 이 분야가 의료 및 의료제공자에게 매우 중요하며, 당연하게 여겨져서는 안 된다고 말하고 싶다. 이러한 이유만으로도 모든 검사실은 미생물학 전문 지식에 접근할 필요가 있다.

J. Michael Miller, Ph.D., (D)ABMM, (F)AAM
Microbiology Technical Services, LLC, Dunwoody, GA.

기본적인 문제들(Basic Issues)

> 조직과 체액은 면봉 대신, 한방울의 검체라도 보내주세요.
>
> Melissa B. Miller, Ph.D., D(ABMM)
> UNCSchoolofMedicine,ChapelHill,NC

적절하게 선택, 채취 및 운반된 검체는 검사실을 효율적으로 운영하는 데 가장 중요하다.

- 검체 채취 및 관리를 중요하게 고려하지 않으면 검사실은 환자 치료 또는 관련한 조사에 거의 또는 전혀 도움을 주지 못한다. 따라서, 검사 결과가 진단 또는 치료 성과를 결정짓거나 혹은 중요한 역할을 미치는 경우 이러한 미생물 검체를 선택, 채취 및 운반에 관여하는 이들은 검사실의 검체 관련 요구사항을 이해해야 한다.

- 또한 검사실은 정확하고 중요하며 임상적으로 연관된 결과를 제공하기 위해 업무 역량을 배분하여야 하므로 의사의 요구를 알아야 한다. 실제로 배양을 위해 접수된 다양한 검체를 채취하는 사람들은 의사나 간호사, 또는 적어도 검사실의 요구사항을 이해할 수 있는 의료보건인력이다. 즉, 잠재적으로 생명을 구할 수 있는 검사결과를 얻기 위해서는 기본적으로 검사에 가장 적합한 검체를 선택, 채취 및 운반하는 것이 필수적이다.

의료를 담당하는 팀과 그 구성원 (의사, 간호사, 검사실 종사자 등) 간의 개방적이고 적극적인 의사 소통은 최적의 환자 치료를 위해 필수적이지만 의사 소통은 종종 어렵고 때로는 아예 시도조차 하지 않는다.

- 환자 치료는 팀 노력의 결과이며, 팀의 한 구성원이 다른 구성원에게 필요한 정보를 실수로 누락하면 불완전한 정보가 쉽게 검사실 결과에 반영될 수 있기 때문에 팀 전체가 곤란에 빠진다. 진료의와 임상미생물 전문가는 보다 건설적이고 원활한 접촉과 상호 작용이 필요하다.

- 임상미생물 전문가는 배양 요청과 관련하여 임상의의 실제 요구 사항을 명확히 할 책임이 있다. 이것은 질문을 하거나, 똑같이 효과적이지만 비용이 덜 드는 대안을 제안하거나, 추가 정보를 구하거나, 검사실에 도착하기 전 부적절한 보관 및 운반으로 인한 검체 거절을 포함한다.

- 종종 임상적 가치가 가장 낮은 검체가 오히려 많은 검사실 자원을 필요로 한다 (1). 현대 검사실 기술의 복잡성으로 인해 진료의가 필요로 하는 모든 정보를 제공할 수 있는 비용-효율적인 방법을 사용해야 한다. 예를 들어, 검체를 채취하기 위해 면봉을 사용하는 경우 가장 저렴한 면봉을 사용하는 것이 아니라 가장 적합한 면봉을 선택하도록 한다.

- 미생물학자는 간호 현직 교육에 더 많은 정보를 제공하도록 협조해야 하며 간호사는 미생물 검사실의 고유한 요구 사항을 이해하기 위해 노력해야 한다. 간호, 감염 관리 및 미생물검사실 직원을 팀으로 결합하고 각 의료 전문가의 요구 사항을 해결할 수 있게 팀 차원의 서비스를 제공하는 것이 팀 구성원 간의 관계를 강화하는 데 도움이 될 수 있다.

임상의가 임상시험관리기준(Good Clinical Practice)의 표준을 따라야하는 것처럼 검사실은 비임상시험관리기준(Good Laboratory Practice)의 표준을 따라야 한다(그림 2).

- 검사실 직원은 비임상시험관리기준 표준을 달성하고 유지하기 위해 지속적으로 노력한다. 이러한 표준은 종종 방법은 언급하거나 검사 한계를 거론하기도 하며, 가끔

그림 2. 검사실은 숙련된 작업자가 검증된 배양 검사 지침을 따를 때 임상적으로 중요한 정보를 제공할 수 있다. 그리고 검사실은 관련 환자 정보에 신속하게 접근할 수 있어야 한다.

그림 3. 검사실 설계 및 배열은 업무흐름의 효율성을 높임으로써 미생물 검사의 질을 개선시키는 미생물 검사실의 중요한 부분 중 하나이다.

충족할 수 없거나 이행해서는 안되는 임상의의 요청에 의해 종종 도전을 받는다.

• 검사 담당자, 검사실 책임자, 또는 진단검사의학 전문의가 운영하는 비임상시험기관(검사실)은 표준 지침을 벗어나거나 잘못된 결과 가능성을 내포한 분석을 수행하도록 요구하는 의료진에게 저항합니다. 이러한 저항은 의사 소통의 중요한 수단이지 임상의 권위에 대한 도전이 아니다. 명백히, 임상의는 환자 치료에 필요한 정보를 달라고 검사실에 요청하고 있다.

• 검사실은 의사의 요청을 충족하기 위해 필요한 사항을 전달해야 한다. 사실, 검사실의 요구 사항은 미생물 검사 지침의 검체 채취 및 취급 부분에 명확하게 기재되어야 한다(그림 3).

미생물 분석용 검체에는 일반적으로 신속하고 전문적인 검체 관리에 따라 생존 여부가 좌우되는 미생물이 흔히 포함되어 있다. 이 간단한 개념을 이해하면 검체 채취자가 정확한 미생물 분석을 위한 세 가지 중요한 단계인 **SELECT**, **COLLECT** 및 **TRANSPORT**를 기억하도록 동기를 부여해야 한다.

1. 질병 과정을 대표하는 부위에서 검체를 선택(SELECT)한다.
2. 적절한 기술과 재료를 사용하여 검체를 채취(COLLECT)한다.

3. 검체를 검사실로 신속하게 운반(TRANSPORT)하거나 보관한 경우, 검체 내 병원체가 사멸하지 않도록, 적절한 조건으로 보관한다. 또한 검체는 병원체의 생존을 도우면서, 누출은 방지할 수 있도록 설계한 용기에 포장해야한다. 이를 통해, 검사실 안전 및 결과의 신뢰성을 확보할 수 있다.

의료기관 내 검사실은 검체 선택, 채취 및 운송에 종사하는 사람들에게 자세한 지침을 제공해야 한다. 검사실은 또한 필요한 경우 의료진의 현직 교육을 담당하고 부정확하게 채취되거나 운반 된 검체에 즉시 대응해야 한다. 몇 가지 일반적인 채취, 보관 및 운송 방법은 아래 표 1에 설명되어 있다.

표 1. 채취, 보관 및 운송 방법

무산소균	무산소균을 잘 분리하려면 무산소성 수송 용기와 바이알(vial)이 필요하다. 일부 무산소성 운송 시스템은 나사마개 용기로 제공되고 일부는 무산소성 바이알로 제공된다. 이들은 흡인물 및 조직(가장 선호하는 검체) 또는 면봉(부득이한 경우)에 유용하다. 일반적으로 용기는 진공 상태거나 산소를 배출하기 위해 다른 특수 가스로 충전되어 있을 수 있다. 절대무산소균(obligate anaerobe)의 경우 산소에 대한 노출은 치명적일 수 있으며 검체 채취자는 이런 위험성을 인식해야한다. 무산소성 검체는 주로 수술장에서 나오지만 병원의 다른 부서에서도 나올 수 있다.
혈액 배양	혈액 배양병은 사용되는 혈액 배양 시스템에 따라 성인 및 소아 채취를 위해 다양한 크기와 부피로 제공된다. 자동화된 혈액 배양 시스템을 위한 고유한 병처럼 다양한 육수 제제를 사용할 수 있다. 모든 혈액 배양 병은 제조업체 권장사항을 사용하여 채취하기 전에 상단을 소독해야하며, 별도로 제조사 권장사항이 없다면, 상단은 채취를 위한 정맥 천자 부위와 동일한 세척 프로토콜을 적용해야 한다.
Bordetella	*Bordetella* 검사를 위한 검체로 소형 면봉과 운송 배지에 넣을 비인두 검체가 필요하다. 분자진단학적 검사 시에는 flocked swab과 특수 운송 배지를 이용해 실온 상태로 운송할 수 있다. 배양 시에는 Regan-Lowe와 같은 특수 배지가 필요하다. 이러한 배지는 일반적으로 사용하기 전에 실온으로 데워야 하므로 제조업체의 지침을 참조한다.

클라미디아	다양한 검사 방법에 적합한 *Chlamydia, Mycoplasma* 및 *Ureaplasma* 용 다목적 상용 운송 배지가 있다. 이러한 모든 운송 배지에 대해서는 제조업체의 지침을 따르도록 한다. 직접 형광 항체 검사를 수행하기 위해서는 자궁 경부, 요도, 결막 또는 비인두 검체 채취에 사용되는 면봉이 필요하다. 일부 제조사에서는 면역 형광 검사용으로 환자 옆에서 바로 도말하기 위해 슬라이드가 포함된 검체 채취 키트를 제공하기도 한다.
Human papillomavirus	HPV 검사에는 종종 함께 제공되는 운송 배지 및 검체 채취 방법에 대한 지침과 함께 제공되는 특수 자궁 경부 솔(brush)이 필요할 수 있다. 후속 검사는 일반적으로 더듬자 부합법(Probe Hybridization)이나 기타 분자진단학 방법으로 이루어지며, 제조업체의 지침을 준수해야 한다.
Parasitology	기생충 검사용 대변 검체에는 방부제가 포함된 특수 운송 용기가 필요하다. 소량의 대변 검체를 운송 용기에 넣고 현미경 분석을 위해 검사실로 운송한다. 원생 동물(Protozoa) 검출용으로 몇 가지 신속 항원 및 핵산 기반 검사를 사용할 수 있으며, 이러한 검사를 위한 검체 채취 및 운송은 제조업체 지침을 따라야 한다.
Sexually transmitted infections	다양한 성매개 감염병 검사용 검체는 원인 병원체(예: *Treponema pallidum, Neisseria gonorrhoeae, Chlamydia trachomatis, Trichomonas vaginalis, Herpes simplex* 등)의 특성에 따라 신중하게 선택해야 한다. 성매개 감염병 검사에는 상용화 검사와 수기 검사 방식이 있다. 상용화 검사 시스템은 특정 검체 채취 장비와 운송 용기가 필요할 수 있으며 검체 채취 지침을 제공한다. 수기 검사 방법을 사용하는 경우, 검사실은 특정 면봉(Flocked swab)이나 흡인으로 검체를 확보할 수 있다.
Stool	세균성 병원체 및 독소 분석을 위해 검체는 뚜껑이 있는 깨끗한 비멸균 용기 또는 세균 운송 배지가 포함된 나사마개 용기에 제출할 수 있다. 설사 또는 고형 대변 검체는 운송을 위해 용기에 직접 넣는다. 설사 검체가 최우선 검체이다. 면봉은 소아 환자에게 사용할 수 있고, 운송 용기에 넣고 부러뜨린 후 뚜껑을 닫아 검사실에 제출한다.

Swabs*	사용하는 면봉에는 면, Dacron 재질 또는 flocked가 있다.
	운송 장비로서, 면봉은 Amies 또는 액상 Stuart 배지와 같이 운송 배지를 포함하는 용기에 통합되기도 한다.
	하나 또는 두 개의 면봉이 운송 용기에 들어있을 수 있으며 봉은 나무여서는 안 된다. 두 개의 면봉은 하나를 사용하여 배지를 접종하고 다른 하나를 그람 염색에 사용할 때 유용하다.
	면봉의 다른 용도로는 신속 항원, DNA 더듬자(probe), 효모균 배양, 선별검사 (예: 메티실린 내성 황색포도알균, MRSA; 카바페넴 내성 장내세균, CRE), 일부 바이러스 배양 및 핵산 검사가 있다.
	소형 팁 면봉(minitipped swab)은 비인두 검체 확보 및 일부 요도 연구에 사용한다.
Urine	소변 검체의 채취 및 운송 방법은 멸균된 나사마개 뚜껑 용기에서 특수 진공용기와 같은 운송 시험관, 배양 배지가 포함된 특수 운송 용기까지 매우 다양하다. 진공 용기와 배지 포함 용기에 있어서는 제조사 지침을 준수하도록 한다.
Vaginitis/ vaginosis	질염 또는 질증에 대한 분석은 종종 DNA 더듬자(probe) 또는 기타 핵산 분석 방법으로 자동화된 기기를 사용하여 평가한다. 이러한 분석에는 특정 기기 용으로 설계된 특정 채취 용기 또는 장치가 필요하다.
	수기 분석용으로 질 면봉을 채취하여 그람 염색을 수행하고 경우에 따라 배양을 진행하기 위해 검사실로 보낼 수 있다.

* 원서의 'Swab'을 본 책에서 주로 '면봉'으로 번역하였는데, 이는 영어의 'cotton swab'과 'swab'이 모두 우리 말로 '면봉'으로 혼용되고 있는 현실에 따른 것이다. 일부 문장에서는 'swab'을 '도찰물'로 번역한 부분도 있으나, '도찰물'이란 단어는 채취한 검체를 지칭하는 경우에 주로 번역하였다.

대표 검체 선정

이상적으로는 검체 면봉이 아닌, 검체 자체가 좋습니다.

Karin McGowan
Children's Hospital, Philadelphia, PA

질병 과정을 대표하는 검체를 선택하는 것은 간단해 보이지만 부적절하게 선택된 검체는 보통 면봉의 형태로 검사실에 매일 도착한다. 이러한 검체에서 생성된 검사실 데이터는 오해의 소지가 있으며 잘못된 진단과 부적절한 치료를 초래할 수 있다. 실제로 많은 검체가 잘못된 정보로 표시되거나 부적절하게 표시되어 있다. 바늘과 주사기로 채

그림 4. 흡인 검체는 검사실로 보내기 전에 바늘을 제거해야 주사기 상태로 운송 및 접수할 수 있다.

취한 흡인물이나 체액은 면봉으로 제출해서는 안 된다. 대신, 멸균 용기, 운반 용기 또는 주사기 (바늘을 제거한 상태) 사용이 적절하다(그림 4). 잘못 채취되거나 라벨이 잘못된 검체의 대표적인 예 세 가지는 다음과 같다.

Wound specimens "상처"는 검체 라벨로 부적절하다. 항상 특정 해부학적 위치를 제공해야 한다. 가장 좋은 검체는 병변 상층 또는 그 표재 검체가 아니라 병변이 진행하고 있는 가장자리이다. 상처가 표면적인지 깊은지 (수술적으로) 기록한다. 삼출물 만으로는 일반적으로 배양에 적합하지 않으며 종종 혼란스러울 수 있는 공생 미생물을 포함한다(2, 3).

Ear specimens "귀"는 일반적으로 중이염 환자의 검체를 의미한다. 이 경우 면봉은 좋은 검체가 아니다. 가장 좋은 검체는 고막 천자로 채취한 체액이지만, 채취 과정이 환자에게 고통스럽기에 자주 시행되지는 않는다. 고막이 파열되어 배액되는 경우에만 작은 면봉을 사용한다. 외이도를 세척한 후에 한해 면봉으로 배액된 체액을 채취하도록 한다.

Sputum specimens 객담은 세균성 폐렴 진단에 있어 추천되는 검체가 아닐 수 있다. 혈액 배양, 기관지 폐포 세척(BAL) 또는 경기관 흡인(거의 안 하지만)은 감염 병원체를 더 확실하게 분리해낼 수 있다. 모든 객담 검체는 어느 정도 구인두 상재균에 오염되어 있다. 적절히 교육한다면 환자는 종종 진정한 하부 기도 분비물이 포함된 검체를 제공할 수 있다. 객담 검체는 현미경 검사를 통해 구인두 상재균에 오염되었음을 나타내는 상피세포 여부에 따라 종종 거부된다. 그러한 경우, 검체는 정확한 방법으로 다시 채취해야 한다.

공생세균 또는 일반 상재균은 임상미생물 전문가가 개입해야 하는 상당한 수준의 "배경 소음"을 제공한다. 일부 신체 부위에는 다른 부위보다 더 많은 상재균이 있다.

표 2. 오염되기 쉬운 검체 종류

검체 유형	오염 상재균	오염을 피하기 위한 팁
하부 호흡기, 특히 객담	구인두 상재균	타액으로 오염되지 않도록 멸균용 기에 직접 검체를 채취한다.
"깨끗한(clean-catch)" 소변	요도 또는 회음부 상재균	멸균 검체 용기에 소변을 보기 전 에 자가 세척 방법을 환자에게 주의깊게, 그리고 완전히 교육시 킨다.
표재성 상처 또는 피하 검체	피부 및 점막 상재균	병변의 진행형 가장자리를 채취하 기 전에 가능한 한 해당 부위의 오염을 제거한다(decontaminated.)
채취에 면봉을 사용하는 "중 이염" 또는 "중이" 검체	외이도 상재균	가능한 한, 무균 조작을 통해 흡인 한다.

공생세균에 의한 오염이 임상적으로 의미있는 결과의 정확한 해석을 방해할 수 있어 채 취 전에 가능한 많이 제거하거나 채취 중에 피해야 하는 몇 가지 상황이 있다(표 2):

- 특히 검체 채취 과정이 부적절할 때, 배양 해석에 뛰어난 기술이 필요하다.

- 바늘 흡인 및 일부 흡입 검체는 삽입 부위가 적절하게 소독된 경우 상재균 오염을 피할 수 있다. 대부분의 경우, 검체에서 발견되는 상재균은 명확한 감염 원인체가 확인된 경우 동정하거나 보고할 필요가 없다.

- 환자가 "오염"이 무엇을 의미하는지 알고 있다고 가정하지 말고, 환자가 검체 채취 와 관련하여 예상대로 행동할 것이라고 가정하지 말아야 한다.

검사실은 "배양되는 모든 것을 보고"하라는 지시를 받지 않아야 하며 매우 특수한 상 황을 제외하고는 그런 요청을 거부해야 한다.

- 적절하게 취급된 검체로부터 검사실 작업대에서 충분한 정보를 채취하여 검사실에 서 추가 분석을 위해 잠재적인 감염병원체를 선택하고 공생균 또는 관련이 없는 상재균의 존재를 무시(그러나 기록)할 수 있도록 한다. 진료의가 4-6개의 분리 균 이 나열된 보고서를 명확하게 해석할 수 있다고 가정한다면 이러한 해석을 가능하 게 하는 정보를 검사실과 공유해야 한다.

- 검사실은 환자와 의사의 요구 사항을 염두에 두되, 제한된 수의 분리주에 대해 일상적인 검사(routine work up)를 적용하도록 한정하는 정책이 필요하다. 일반적으로 검체에서 더 많은 종류의 세균 종이 발견될수록 보고서가 환자 치료에 도움을 줄 가능성이 작아진다 (1).

- 예를 들어, 검사실은 모든 검체에서 최대 4개의 균종을 조사하도록 선택할 수 있다: 2개 이하의 중요한 산소성 미생물과 2개의 중요한 무산소성 미생물. 접종 배지에서 인식된 종의 갯수가 이러한 한계를 넘는 경우(그리고 실제로 병원균이 존재하지 않는 경우), "산소 및 무산소 상재균 혼재" 또는 "피부 상재균 혼재"와 같은 보고서를 통해 의사에게 오염된 검체임을, 그리고 경험적 치료가 필요할 수 있음을 알려야 한다.

- 대부분의 "상재균 혼재" 보고서는 어떤 유형의 공생 오염 때문이다. 환자 진료에 있어 배양되는 모든 미생물을 동정하는 행위의 가치는 여전히 의심스럽고 상세히 증명된 바도 없다.

- 검사실은 물론 존재하는 다른 미생물의 수와 상관없이 감염 병원체는 모두 보고해야 한다.

- 검사실은 진료의가 필요하다고 판단할 경우 후속 검사를 수행할 수 있도록 보고 후 일주일 동안 대표 배양 배지를 보관해야 한다.

어떤 사람들은 검사를 제한하기로 한 결정이 미생물 검사를 의뢰하고 해석하는 진료의의 특권을 빼앗는 것으로 잘못 인식하기 때문에 비판한다. 대부분의 임상미생물 전문가는 검체 검사 및 보고서와 관련하여 진료의와 상호 작용할 수 있는 기회를 환영하지만 동시에 검사실 전문가가 잘못된 정보를 제공하도록 압력을 받아서는 안 된다. ABMM (American Board of Medical Microbiology) 인증 전문가는 기술적 및 임상적 상관 관계를 포함하는 이러한 문제와 기타 임상미생물검사실 문제를 해결하는 데 있어 귀중하고 고유한 인적 자원이다. ABMM 인증을 받은 임상미생물 전문가는 주치의가 아니지만 실제로 감염병 진단, 항균제 사용, 해석의 명확성 및 감염 관리 책임 지원에 대한 특별한 임상 및 검사실 기술을 제공한다. 이 전문가는 모든 임상미생물검사실에서 기술적인 정확성, 비용 효율적인 업무과정 및 의료진을 위한 고유한 판독 권한을 지원할 수 있음을 보장할 수 있어야 한다.

검사의뢰서

> 검체와 검체의뢰서에 정확한 환자 식별 정보를 기재하는 것이 중요하다.
> 검체 라벨이 잘못 기재되거나 라벨의 정보와 다른 검체로 인해 귀중한 시간이 손실된다.
> 결과적으로 검사실은 전화를 걸어 위험 관리 보고서를 작성하고 검체 접종을 연기해야 한다.
>
> Eve Brown, M.S., 현재 퇴직

의사가 진단을 공식화하기 위해 환자의 병력에서 구체적이고 중요한 정보가 필요한 것처럼 검사실은 환자와 검체에 관한 의사의 구체적이고 중요한 정보가 필요하다.

- 검체 분석을 위해 적절한 정보를 제공하는 것이 검사의뢰서의 목적이지만, 검체와 함께 접수된 검체의뢰서가 검사실에서 배양 결과를 해석하는 데 필요한 모든 정보를 제공하는 경우는 거의 없다. 실제로 검사실에서 검사를 분석하기 위해 수행하는 모든 작업은 검체의뢰서에 포함된 정보에 따라 다르다. 환자와 검체에 대한 정보가 적을수록 배양 결과를 정확하게 해석하고 그 결과를 환자 치료와 연관시키는 것이 더 어려워진다.

- 컴퓨터를 이용한 검사 의뢰 및 검사의뢰서 생성 시스템은 검사 의뢰를 완료하기 위해 주요 항목을 꼭 기재하도록 설계되어야 한다.

불행히도 미생물검사의뢰서는 검체 관리 과정을 반영하지 못할 수 있다. 전자 의뢰 시스템이 종이 검사의뢰서보다 더 일반적이지만 일부 검사실은 여전히 종이 기반으로 운영되고 있다. 어떤 경우에는 편의상 일부 검사실에서는 화학 및 혈액학을 포함한 모든 검사항목에 대해 한 쪽 분량의 하드 카피 양식이 자원을 보다 효율적으로 사용한다고 생각하기도 한다. 이러한 한 쪽 분량의 양식에서 임상미생물 검사는 일반적으로 기재 공간이 좁으므로, 많은 검체에 대한 결과를 해석하는 데 도움이 되는 정보가 너무 적다. 많은 기관의 컴퓨터 기반 의뢰 및 의료 정보 시스템은 임상미생물검사 전용 창을 제공할 수 있으며, 필요한 중요 정보를 도출하기 위해 임상미생물 전문가가 최적으로 설계한다.

검사의뢰서 또는 컴퓨터로 생성한 접수 양식 및 검체 용기에는 다음 정보가 포함되어야 한다.

1. 환자 이름
2. 환자의 나이와 성별
3. 환자의 병원/ 의무기록 번호
4. 환자 병실 번호 또는 위치
5. 의뢰 의사의 정보
6. 특정 해부학 부위
7. 검체 채취 날짜 및 시간(매우 중요)

그림 5. 검사실에 검체가 접수되면, 검체에 부착된 라벨이 적절한지 확인한다. 부적절한 검체 라벨이 부착된 검체가 접수되면 접수 담당자는 그 검체를 추적하느라 귀중한 시간을 낭비하게 된다.

검사실에 제공하는 경우 도움이 될 추가 정보:

- 임상 진단, 특수 배양 요청, 관련 환자 병력(예: 여행, 음식, 생활양식)
- 검체을 얻는 데 사용된 특수 술기
- 환자에게 투여하고 있는 항균제(있는 경우)

검체 제출 시 고려해야 할 추가 사항:

- 검체라벨의 모든 항목은 읽기 쉽게 인쇄해야 한다.
- 환자의 이름과 성을 모두 사용하여 동일한 성을 가진 다른 환자의 검체와 헷갈리지 않도록 해야 한다.
- 병원 번호 또는 기타 식별자를 이용해 이름과 함께 교차 확인할 수 있다.
- 검체를 검증하고 배지 선택을 돕기 위해 특정 채취 부위를 표시해야 한다.
- 배양 결과를 적절하게 해석하고 검체 관리의 효율성을 확인할 수 있도록 채취 날짜와 시간을 표시해야 한다.
- 임상미생물검사실에서는 모든 검체가 잠재적으로 감염력을 가지고 있다고 간주하고 있지만, 응급 (긴급, stat) 취급이 필요하거나 특히 위험한 병원균(예: *Coccidioides immitis, Mycobacterium tuberculosis* 또는 간염 바이러스)이 포함된 것으로 알려진 검체는 적절하게 표시해야 한다.

검체 포장 및 운송

만약 배양을 위한 소량 또는 많은 양의 검체를 보낼 수 있을 때는 많이 보내라. 한 개의 면봉으로 혐기, 호기, 항산균 및 진균 배양까지 의뢰하는 것은, 단순히 당신이 미생물 원인설(germ theory)이 아닌 원자론(atom theory)을 신봉한다는 것을 증명할 뿐이다.

Daniel S. Shapiro, M.D.
University of Nevada, Reno, Reno, NV

미생물 검사를 위한 검체는 검사실에 접수(accessioning)시켜 접종(plating)하기 위해 즉시 검사실로 운송되어야 한다(그림 5).

- 진단검사의학과 다른 모든 부서와는 달리, 임상미생물 검체는 살아있는 미생물을 포함하고 있다. 미생물은 매우 빠른 속도로 증식하거나 사멸한다. 만약 검체 채취, 수송, 보관 중에 미생물들이 증식하거나 사멸한다면 환자의 검체 채취 부위의 질환을 더 이상 대표할 수 없다.

- 척수액 같은 환자에게 잠재적으로 치명적인 상황을 대표하는 검체는 가능한 한 빠르게 인편으로 검사실로 수송되어야 한다.

- 다른 검체들은 가능한 한 빨리 일반적인 운송 방식으로 채취 후 운송되어야 한다. 다음 휴식 시간인 점심시간 또는 교대시간을 기다리는 것은 일부 병원성 미생물이 생존하지 못하는 사유가 될 수 있으며, 결과적으로 환자의 빠른 회복을 저해하는 이유가 될 수 있다.

표 3. 검체 채취에 흔하게 사용되는 면봉 종류

면봉 종류	Notes
알긴산 칼슘-봉 (Calcium alginate-tipped)	*Chlamydia* spp. 검출에 유용함(13). 바이러스나 일부 세포 배양, *Neisseria gonorrhoeae*와 *Ureaplasma urealyticum*에는 독성이 있을 수 있다.
면봉 (Cotton-tipped)	배양이 까다롭지 않은 대부분의 세균(nonfastidious bacteria)은 사용한 면봉에 영향을 받지는 않는다. 면봉에 특정 지방산을 포함한 경우, 일부 세균과 *Chlamydia* spp.의 생존에 영향을 줄 수 있다. 질, 자궁 경부, 요도로부터 채취되는 *Mycoplasma* spp.용 검체로는 적합하다.
다크론-봉 (Dacron-tipped)	바이러스용 검체를 포함하여 다양한 검체의 채취에 사용된다. *Streptococcus pyogenes*의 생존을 촉진할 수 있다.
깃털-노날 (Flocked swabs)	도칠물이 필요한 대부분의 미생물 검사에 적합하며 종종 세척 또는 흡인액과 동등한 성능이다.
나무-막대 (Wooden-shaft)	나무가 독성 물질을 포함할 수 있고, herpes simplex virus를 불활성화 시킬 수 있으며 일부 *Ureaplasma* 동정 방법에 간섭할 수 있어 통상적인 검체 채취에는 더 이상 권장되지 않고 거의 사용되지 않는다.

도찰(swab)은 미생물 검사의 특정 검체를 채취하는데 있어 적절한 선택일 수도, 아닐 수도 있다(표 3). 검체 채취자는 검체 채취에 적합한 기구와 방법을 아는 것이 필수이다. 도찰할 때 쓰는 기구의 끝 부분은 면, 다크론(폴리에스터), 알긴산 칼슘이 흔히 쓰인다. 나무 재질의 손잡이가 아직 공급 가능하나, 대부분의 손잡이는 플라스틱이다(그림 6).

유연하고 가느다란 대에 작은 끝부분(tip)을 가진 구조는 비인두도말 검체(nasopharyngeal specimen)와 임질 진단을 위한 남성의 요도 검체, *Bordetella pertussis* 진단에 적합하다. "비인두용"으로 표기된 플라스틱 손잡이의 면봉(swab)은 비인두 상재균을 대표하는 성상보다는 비강 또는 인두 도찰 유래의 검체를 반영한다.

검체로 생검(biopsy)이나 흡인(aspiration)을 더 선호하는 요인들[Dr. Nancy Cornish (CDC, Atlanta, GA)의 허락 하에 인용함].

- 도찰물이 검체 채취에 편리함에도 불구하고, 면봉에 소량의 농이나 체액이 흡수되기 때문에 차선(suboptimal)의 방식이다; 면봉으로부터 고체배지로 감염된 물질을 접종하는 것은 불완전하고, 일정치 않다(4). 발표되지 않은 연구에 따르면, 완전한 크기의 면봉은 흡수한 액체의 약 20% 만이 고체배지에 묻혀진다; 팁 크기가 작은 경우는 더 적은 양이 방출되며, 10% 미만의 액체만이 고체배지에 유리된다. (Steven Dallas, Ph.D., 개인적인 대화)

- 게다가, 면봉의 성분이 중요한 병원체 등 일부 세균에게 독성을 보일 수 있다(5). 마지막으로, 어떤 이유에서든 처리가 지연될 경우, 세균은 흡인된 체액 또는 농보다는 생존하기 어렵다(6).

- 무균 용기에 충분히 채취된 흡인액 또는 생검조직으로 임상미생물 검사실은 임상의가 요청하는 모든 검사를 수행할 수 있다. 추가로 일부 기관은 남은 조직을 −70℃에 얼려서 적어도 한 달간 보관할 수 있다. 만약 후속 검사(예를 들어, 해부병리 검사)에서 처음에 시행한 배양 검사에 포함되지 않은 미생물이 의심되는 경우, 검사실은 냉동고에서 추가적인 검사를 위해 조직을 꺼내 사용할 수 있다.

- 면봉에 매우 소량의 검체가 있다면, 검사실은 배양할 수 있는 병원체의 개수가 제한받으며, 추가검사를 위한 검체 냉동을 할 수 없다. 육아종이나 치유가 진행되는 상처의 세포 염증반응 부위는 특히 면봉으로 검체를 채취하기 어려운 반면, 생검

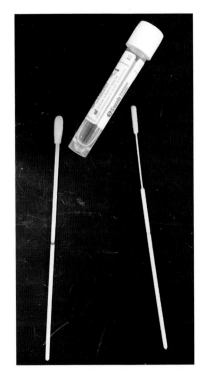

그림 6. 상용화된 깃털 면봉(Flocked swab)은 추천하는 수송 용기와 검체와 미생물을 분해로부터 보호하는 사용법을 제공한다. 세균, 바이러스 그리고 다른 검체들을 위한 다양한 면봉을 사용할 수 있다.

은 분석에 충분한 검체를 획득할 수 있다.

- 같은 부위로부터 유래한 생검/흡인조직과 도찰물의 직접 비교는 수행하기 어렵다. 대부분의 연구에서, 심지어 연구자들이 도찰물이 적절하게 채취되었다고 생각한 연구에서도, 표준검사법 대비 도찰물의 정확도(accuracy)는 50-70% 였다(7-9).

- 피부 같은 무균상태가 아닌 부위는 깊은 부위의 검체를 얻기위해 관통해서 검체를 얻어야 한다. 상재균이 실제 병원균과 같이 채취되기 때문에 도찰물은 위양성을 보일 수 있고, 결과의 분석과 해석을 혼란스럽게 한다(10, 11).

수송을 위한 검체 용기와 사용법은 일반적으로 검사실로부터 제공받을 수 있다(그림 7).

- 환자에게 의심되는 병인체에 따라 생존을 높일 수 있는 구체적인 채취 및 운송 방법을 따라야 한다.

- 바이러스 배양과 *Chlamydia*, *Mycoplasma* spp.를 위한 검체는 특별한 운송 배지를 필요로 하며, 운송 조건을 유지해야 한다.

- 진균 배양은 면봉의 섬유로 인해 현미경 직접 검경 시 간섭이 생길 수 있으므로, 검체 채취에 면봉을 사용하면 안 된다. 그러나 효모균이 의심되는 경우에는 사용할 수 있다.

- 용기에 있는 오염된 균들에 의해 배양 결과를 해석 시 잘못된 결과를 초래할 수 있으므로, 대부분의 경우 검체 용기는 무균용기를 써야 한다.

- 대변 검체용 용기는 무균적일 필요는 없으나, 깨끗해야 하고 뚜껑이 꽉 닫혀야 한다. 특정 검체용 용기가 무균적이어야 하는지 궁금하다면, 그 검체를 위한 용기는 무균적이어야 한다고 간주하면 된다.

소변이나 객담을 채취하는, 돌려서 뚜껑을 막는(screw-cap) 다른 무균처리된 제품들/기구들은 그림을 포함해서 일반인들도 이해할 수 있도록 사용법과 함께 준비되고 포장되어야 한다. 생검 조직들은 크기가 작다고 하더라도 무균 컵에 넣을 수 있다. 이러한 조직들이 수분을 유지하기 위해서, 조직을 거즈에 담는 것보다는, 소량의 비정균적(nonbacteriostatic)인 성분의 식염수(saline)가 컵에 추가될 수 있다. 진균 검사를 위한 머리카락과 피부를 긁은 부스러기는 무균 페트리접시를 수송용기로 사용할 수 있다. Jembec 시스템 같은, *Neisseria gonorrhoeae*를 위한 상용화된 수송도구는 쿠리에 수송 같은 CO_2를 포함한 용기보다 더 나은 결과를 제공할 수 있다. 용기는 일정한 양의 CO_2를 가지고 있지 않을 수 있고, 접종 중 적절치 못하게 다루면 공기 중 상당수를 소실할 수 있다.

검체 검사는 전략적이어야 하며, 샷건 방식으로 접근해서는 안 된다.

- 어떤 의사들은 희한하고 가능성이 낮은 진단을 간과할까봐 두려워하여 같은 검체로 다양한 검사를 요구한다. 만약 검체가 충분하다면 여러 검사를 시행할 수 있겠지만, "샷건" 방식의 배양으로 환자를 진료하는 방식의 가치에 대해서는 생각해볼 필요가 있다.

- 여러 세균의 분리 등 배양으로부터의 많은 정보가 항상 더 나은 정보인 것은 아니다. 너무 많은 검사 정보가 보고될 경우, 이미 임상진단에 대해 혼란스러운 임상의사에게 잘못된 판단을 유도할 수 있는 정보가 전달될 것이다. 임상의사와 검사실 간의 대화가 의미가 있다.

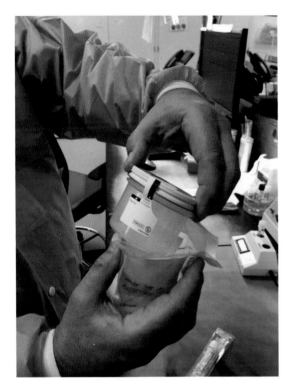

그림 7. 나사마개 뚜껑(screw-cap) 방식의 무균컵은 다양한 검체를 수송하는데 쓸 수 있다.

- 한 번에 검체로부터 여러 감염 원인체를 찾아내는 유용한 유전자-기반의 다중 검사 시스템이 있다. 이러한 검사들은 검사에 기반한 진단에서 중요한 가치를 지니지만, 근거있는 적용과 업무 흐름의 설계가 필요하다.

임상미생물검사실은 감염성 질환의 진단에 중심을 두고 있으며, 검사실의 다른 부서와는 다른 특징을 지닌다. 검체 검사 시 검사 전단계와 분석단계 모두에 영향을 받는 해석적 판단의 과학으로, 검사 다른 부서보다 (아마도) 더 엄격한 검체 관리 원칙을 지켜야 한다. 살아있는 미생물을 다루고 유지하는 것은 임상화학과 진단혈액학과는 매우 다른 과정을 요구한다. 특정 미생물에 대한 독특한 검체 선택과 채취, 그리고 수송의 구체적인 부분까지 주의를 기울이는 것이 검체를 다루는 검사실 직원 모두에게 요구된다. 검사실 안전은 검사실 근무자와 동료를 검사-관련 감염으로부터 보호하기 위해 검사실 운영진과 근무자 모두에게 최우선 관심사이어야 한다. 검사실 안전을 절대 간과해서는 안 된다(12).

바이러스, 리켓치아, 클라미디아, 그리고 마이코플라스마의 수송
(Virus, Rickettsia, Chlamydia, and Mycoplasma Transport)

지난 수년간의 기술 발전 덕분에, 바이러스와 클라미디아 질환 진단이 후향적 연구보다는 전향적 과학이 되었다.

- 많은 기관에서 바이러스 배양은 중지되었고, 빠르고 정확한 유전자에 기반한 접근으로 진단을 하고 있고, 이는 환자 예후에 긍정적인 영향을 주는 중요한 부분이 되었다.

- 바이러스 질환에서, 배양, 분자진단 검사, 그리고 어느 검사이든지 검체 채취 방법이 성공적인 검사를 결정한다.

세균 운송용 배지와 방법은 바이러스와 클라미디아 수송에는 부적합하다(13).

- 바이러스 운송배지(Viral transport media, VTM)는 건조를 방지하고, 운송 중 바이러스가 생존할 수 있도록 유지하며, 오염된 세균의 과성장을 막는 방식으로 설계되어 있다. 많은 제조법들은 소 태아 혈청(fetal bovine serum) 또는 소 혈청 알부민(bovine serum albumin)과 함께 Eagle 최소 필수 배지(Eagle's minimum essential medium) 또는 HBSS(Hanks' balanced salt solution) 등을 포함하고 있다. 한 종류의 VTM이 다른 종류보다 우월하다는 문헌에 대해서는 근거가 거의 없다.

- 액체 기반 수송배지(liquid-based transport systems)들은 단백질(BSA, gelatin, or fetal bovine serum)을 포함하고 있으며, 완충용액에 항균제 조합이 들어 있다. 바이러스 분석을 위한 조직은 이러한 종류의 배지를 사용할 수 있다. 완충된 수크로스가 포함된 운송배지(A buffered sucrose-containing transport system, 2SP)는 바이러스와 클라미디아 운송에 쓰일 수 있다; 2SP에 포함된 항균제는 클라미디아를 억제하지 않는다.

- 인간 포피 섬유아세포(human newborn foreskin fibroblasts)를 포함한 상업화된 배지도 사용 가능하며, 거대세포바이러스(cytomegalovirus)와 단순포진바이러스(herpes simplex virus)의 조기 검출 및 획득에 유용하다. 그러나, 첨가된 세포 때문에 이러한 배지들은 유효기간이 제한적이며, 섬유아세포에서만 자라는 바이러스에만 유용하다

- 리케치아 진단은 일반적으로 공공보건과 관련된 실험실이나 레퍼런스 실험실(ref-
erence laboratorories)에서 시행하는 혈청검사 또는 PCR에 의해 진단된다. 리케치
아의 분리는 혈액 샘플이 필요하다. BSA를 포함한 수크로스−인산염−글루타메이
트 수송배지(sucrose-phosphate-glutamate transport medium)는 리케치아나 마이
코플라즈마, 클라미디아의 수송에 사용될 수 있다(14).

Key points (13, 14, 34)

바이러스 분석을 위한 대부분의 검체는 바이러스의 농도가 가장 높은 때인 증상 발현
후 1–3일 이내에 채취되어야 한다; 7일 이상 지연되는 경우, 특히 배양의 경우, 검사
결과를 제대로 얻지 못할 수 있다.

바이러스 분석을 위해 검체가 접수되는 거의 모든 경우에 있어서, 바이러스 질환의 전
형적인 증상을 흔하게 보이는 표적 장기를 반영하여 검체 채취가 선택되고 채취되어
야 한다

만약 바이러스 검사를 위한 검체가 스튜어트 또는 아미를 이용한 세균 수송배지
(Stuart's or Amies bacterial transport system)로 접수한다면, 면봉을 액체 VTM
배지에 옮길 수 있다.

만약 면봉을 검체 채취에 사용해야 한다면, 알긴산 면봉(alginate swab)이 아닌 면
(cotton)이나 다크론(Dacrojn)을 이용한 면봉을 사용해야 한다. 알긴산은 인플루엔
자 바이러스(influenza virus)나 헤르페스바이러스(herpesvirus) 같은 외피보유바이
러스(enveloped viruses)의 획득을 방해하며, PCR을 억제할 수 있다. 추가적으로 나
무 손잡이로 된 면봉이나 숯 성분을 포함한 면봉은 바이러스 진단은 위한 검체에서
는 사용하면 안 된다.

프로브(probe), 증폭 시스템(amplification system), 효소 면역검사 항원 검사법
(enzyme immunoassay antigen detection system)의 제조사들은 해당 시스템에서
검증된 성능을 보이는 것으로 검증된 경우에 종종 특정 배지와 포함된 면봉을 검체
의 채취, 수송용으로 권장 또는 포함하여 제공하는 경우가 있다. 만약 제조사들이
특정 배지와 면봉에 대해 FDA의 승인을 받은 경우, 승인된 검체 채취 도구를 이용
하여 검체를 채취하는 것은 중요하다; 만약 검사실에서 다른 기구나 배지를 사용한
다면, 사용 전에 검사실에서 반드시 검증해야 한다.

수송 정책(Transportation Policy)

1. 모든 검체는 즉시 검사실로 이송되어야 하는데, 타기관의 검사실(off-site laboratory)이 아닌 경우 채취 후 2시간 이내에 접수하는 것을 권고한다(그림 8).
   만약 처리가 지연된다면, 세균을 위한 검체는 Section IV.의 테이블에 설명된 조건에 따라 보관될 수 있다. 이러한 보관 조건은 이송 업체에 의한 수송 시에도 수송 조건으로 제안할 수 있다.

2. 일반적으로, 24시간 이상 세균 배양을 위한 검체를 저장하면 안 된다(표 4). 그러나, 바이러스는 일반적으로 4℃에서 2–3일 정도 안정적이다.
   바이러스 분석을 위한 검체는 검체의 수송이 지연될 경우에는 −60℃ 또는 −70℃, 혹은 드라이 아이스를 사용해서 냉동하는 것을 권장하며 −20℃에서 냉동되어서는 안된다.

3. 무산소배양을 포함하여, 임상 검체의 적절한 수송은 채취되는 검체량을 고려해야한다.
   소량의 검체는 15–30분 이내 접수; 생검 조직은 산소성 수송배지에 적절히 보관된다면 20–24시간까지 보관이 가능 (15).

4. 주변 환경에 민감한 병원체는 다음과 같다; *Shigella* spp. (즉시 처리), *N. gonorrhoeae, Neisseria meningitidis,* and *Haemophilus influenzae* (냉장 온도에 취약).
   절대 냉장하지 말아야 할 검체: *척수액(spinal fluid), 생식기 검체, 눈, 내이 검체 (internal ear (16) 또는 상기의 병원체가 의심되는 검체.*

5. 의료기관이나 검사실에서 다른 기관 또는 검사실로 임상 검체나 배양된 배양체를 수송하는 경우, 거리에 상관없이 검체 포장과 표기에는 엄격한 주의가 필요하다 (13, 17, 18).
   수송을 위한 물질은 적절하게 표기가 되어야 하며, 포장되고, 수송 동안에 보호되어야 한다. 그리고 수송업체는 차량에 생물학적 물질을 수송 중이라고 표기되어 있어야 한다.
   미국 교통부(Department of Transportation) 규정을 인터넷(http://www.dot.gov)에서 확인할 수 있다. 일반적으로 수송 업체는 secvion IV에 있는 "Storage"의 리스트에 따라 운송 조건을 준수해야 한다.

표 4. 의심하는 병원체[a]에 따른 다양한 수송 시스템의 보관 조건
(Storage conditions for various transport systems and suspected agentsa)

보존제[b]	4°C 보관	25°C 보관
보존제 없을 때	부검 조직, 폐 세척액, 카테터, 경정맥 뇌척수액(intravenous CSF), 폐 조직 생검, 심낭액(pericardial fluid), 객담, 소변(전부)	뇌척수액(세균 검사용), 관절액
무산소수송		복강액(abdominal fluid), 양수(amniotic fluid), 무산소배양, 담즙, cul-de-sac, 심부 조직/채취, *Actinomyces* spp. 검사 용 자궁내 장치(IUD), 폐 흡인, 태반(제왕절개), 부비동 흡인액, 조직, 경기관 흡인액, 치골상부 흡인
배지에 직접 접종		각막 도찰(corneal scraping), 혈액배양, *Bordetella* spp. (RL, BG), *N. gonorrhoeae* (Jembec system), 유리체액
산소성 수송	화상 조직, *Campylobacter* spp., 귀(외이도), *Shigella* spp., *Vibrio* spp., *Yersinia* spp.	골수, *Bordetella* spp., 자궁 경부, 결막, *Corynebacterium* spp., 귀(내이), 생식기 배양, 비인두, *Neisseria* spp., *Salmonella* spp., 상기도 배양

[a]CSF, cerebrospinal fluid; IUD, intrauterine device; BG, Bordet-Gengou medium; RL, Regan-Lowe medium.

[b]Stuart's, charcoal-impregnated swabs은 일반적으로 *N. gonorrhoeae* 수송을 위한 조성임; Amies는 변형된 Stuart's로, 면봉 대신 숯이 배지에 들어있음; Cary and Blair는 Stuart's와 유사하나 대변 검체를 위해 변형되었으즈며, pH가 7.4에서 8.4로 증가하였음.

검체 및 배양 운송(Shipping specimens or cultures)

병인체의 배양을 운송할 때는, 2구 실린더(dual-cylinder) 시스템이 필요하다(그림 9).

1. 검체나 배양체는 명확히 표기되어 있는, 돌려서 막는 뚜껑(screw-capped)을 사용하는 용기나 누출방지 용기 내에 넣어야 한다

2. 뚜껑은 방수가 가능한 테이프로 봉해져야 한다. 이 용기를 흡습제로 감싼 뒤 충격으로 인한 파손으로부터 용기를 보호할 수 있는 완충용기가 바닥에 포함된 2차 용기에 넣는다.

3. 의뢰서나 검체의 정보를 담은 용지는 2차 용기 주변으로 감싸서 넣거나, 2차 용기 바깥면에 기록한다

4. 2차 용기는 견고한 수송 용기에 넣고, 운송에 관련된 정보를 표기하고, 생물학적 주의사항을 표시한다.

그림 8. 의료인은 검체 도착 30분-1시간 이전에 임상적으로 필요한 정보가 필요할 수 있다. 최종 보고에는 24시간-72시간이 소요될 수 있다.

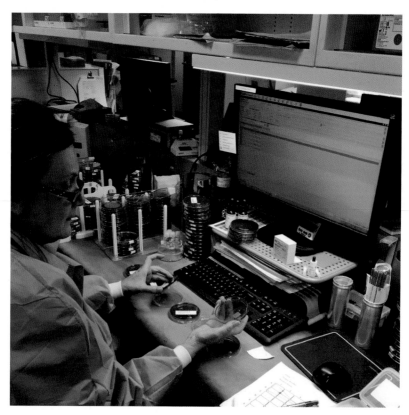

5. 검체를 보내는 사람과 인수자 모두의 이름, 주소, 전화번호가 바깥쪽에 기록되어야 하며, 안쪽 용기에도 기록해야 한다.

수송에 대한 추가적인 정보는 Office of Health and Safety of the Centers for Disease Control and Prevention (http://www.cdc .gov/biosafety/)과 Interstate Shipment of Etiologic Agents (42 CFR, Part 72) 규정, 그리고 Department of Transportation Hazardous Materials Regulations (49 CFR, Parts 171 to 180)에서 확인할 수 있다.

그림 9. 수송 및 포장방법

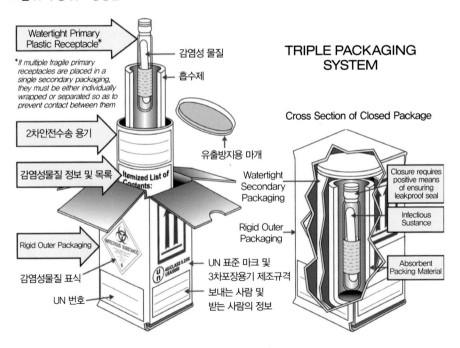

색으로 구분된 진공 용기

Vacutainer와 같은 검체용기는 때때로 미생물학 처리를 위해 검사실에 접수된다. 이러한 색으로 구분된 검체용기에 담긴 검체 내 미생물의 생존율에 대한 최근 정보는 거의 없지만, 특수 미생물 검체용기를 사용할 수 있다는 것을 임상의와 간호사에게 알리는 것이 중요하다. **표5**는 이러한 색상 코드 검체용기와 용도를 설명하고 있다.

검체가 부적절한 용기에 담겨 접수되면 즉시 의사에게 연락하여 문제가 있음을 설명하고 다른 검체를 요청한다. 채취 및 운송에 관한 적절한 정보를 제공한다. 부적절한 용기의 검체를 분석해야 하는 경우 보고서에 부록으로 다음과 같은 내용을 추가해야 한다.

"미생물의 분리/검출에 간섭이 있을 수 있는 부적절한 운송 용기에 검체를 채취하였습니다. 결과 해석에 주의를 요한다."

의료 시술에 자주 사용되는 카테터

미생물학 검사실은 카테터와 관련된 잠재적인 감염병원체의 유무를 결정하기 위해 배양을 위해 카테터 또는 카테터 팁을 자주 받는다. 그러나 카테터 삽입 부위에서 얻은

표 5. 검체 용기 별 색상표

색상	검체 용기 내 항응고제	사용목적
흑색	Sodium citrate	침강률 계산
밝은 청색	Citrate	응고 검사
갈색	Sodium heparin	납 검사
금색	Clot activator	혈청분리
녹색	Lithium heparin	화학, 세포학
밝은 녹색	Lithium heparin	혈장분리
회색	Oxalate-sodium fluoride	당 검사
자주색	EDTA	혈액학
적색	None	혈청 확보
노란색	Sodium polyanethol sulfonate	미생물 검사

공생 상재균과 감염병원체를 구별하기가 어렵기 때문에 배양 결과의 해석은 오해의 소지가 있다.

- 정맥 또는 동맥 카테터의 경우 혈액 배양을 같이 수행하는 것이 항상 도움이 되며 권장된다.
- 요도 카테터(폴리 카테터) 팁은 요도 세균총으로 팁을 오염시키지 않고 카테터를 제거하는 것이 사실상 불가능하여 성장 해석을 복잡하게 하기 때문에 배양하지 않는다.
- 거의 모든 경우에 카테터와 관련된 박테리아는 biofilm으로 둘러싸여 있기 때문에 배양 배지로 용출되지 않을 수 있다.

모든 카테터 형태는 세균에 의해 집락화되거나 오염될 수 있으며 인접한 부위에 감염을 전파할 수 있다. *카테터 제거는 감염원 제거를 용이하게 하는 유일한 방법일 수 있다.*

- 유치 카테터의 경우, 포트를 꼼꼼하게 소독한 후 카테터의 검체 채취용 포트에서만 소변을 채취해야 한다. 채취 백에서 소변을 배양해서는 안된다. 여성용 곧은 카테터로 얻은 소변은 일반적으로 피부소독에 주의를 기울이고 무균적으로 채취한 경우 배양을 위한 좋은 검체이다.
- 정맥 및 동맥 카테터를 환자에게서 제거하고 반 정량적 배양을 수행하거나 멸균 식염수 또는 액체배지 용기에 넣을 경우에는 1-4 인치의 먼 쪽 끝을 무균 절단하여 멸균 컵 또는 용기에 넣는다. 검사실로 인편으로 바로 접수하며, 축축하지 않은 카테터 팁은 빠르게 건조되어 미생물 생존을 위협할 수 있다.

카테터와 그 용도의 일부 목록이 아래에 나와 있다.

Angiographic　장기의 혈관계를 시각화하기 위해 조영제를 주입하는 데 사용된다. 예를 들어, 대퇴−신장 동맥(femoral-renal artery) 및 상완−관상 동맥(brachial-coronary artery)과 같이 삽입 및 목적지의 위치에 따라 명명한다.

Arterial　위독한 환자의 혈압을 모니터링하는 방법의 일부로 동맥에 삽입한다. 또한 동맥 계의 X−선 연구 또는 종양을 관류하는 동맥을 통해 항암화학약물을 전달하는 데 사용한다.

Balloon tip　통로를 생성, 확대 또는 차단하기 위해 카테터가 제자리에 있는 동안 팁에 풍선이 있는 카테터로 팽창 또는 수축한다.

Bozeman-Fritsch　팁에 여러 개의 구멍이 있는 약간 구부러진 이중 채널 카테터.

Broviac Hickman　카테터와 유사하지만 내경이 더 작은 우측 심방 카테터.

Brush　미세한 솔이 팁에 달린 요관 카테터로, 내시경적으로 요관 또는 신장 골반으로 전달되고 의심되는 종양의 표면에서 세포를 채취하는 데 사용한다.

Cardiac　형광 투시 제어 하에 말초 혈관을 통해 심장 내부로 들어가는 데 사용되는 길고 미세한 카테터이다.

Central venous　정주액, 항생제 또는 기타 치료제를 큰 혈관에 투여하기 위해 정맥에 삽입되는 길고 미세한 카테터이다. 또한 중심 정맥 압력을 측정하는 데 사용된다.

Condom　음경에 맞는 외부 소변 채취 장치이다. 남성 요실금 관리에 사용된다.

DeLee　신생아의 입과 코에서 태변과 양수를 흡인하는 데 사용된다.

Double-current　이중 채널 카테터.

Double-lumen　두 개의 채널이 있는 카테터. 하나는 주 사용이고 다른 하나는 흡인 용이다. 양방향 카테터라고도 한다.

Elbowed　팁 근처에서 비스듬히 구부러진 카테터로 주로 전립선 비대와 관련하여 사용된다.

Eustachian　유스타키오 관을 팽창시키는 데 사용된다.

Female　여성 방광으로 들어가기 위한 짧고 곧은 카테터이다.

Fogarty　주요 정맥에서 동맥 색전과 혈전을 제거하고 담도에서 돌을 제거하는 데 사용되는 풍선 팁 카테터.

Foley　팁에서 공기 또는 액체로 부풀린 풍선에 의해 방광에 고정되는 유치 카테터이다. 일반적으로 3개의 루멘이 있다. 하나는 풍선 팽창용, 하나는 관개 및 샘플링용, 다른 하나는 소변 배출용이다.

Groshong　단일 또는 이중 루멘(외부 포트 포함)이 우심방에 삽입된다.

Hemodialysis   혈액 투석을 위한 동정맥 접근을 위해 쇄골 하, 내부 경정맥 또는 대퇴 정맥에 사용된다.

Hickman   정맥 접근을 통한 항균제, 총 비경 구 영양제 또는 화학 요법 제의 장기 투여를 위한 우심방 카테터. 단일 또는 이중 루멘 카테터일 수 있다.

Indwelling   폴리 카테터와 같은 요도에서 제자리에 고정되도록 설계되었습니다.

Malecot   위루관 식이에 사용되는 확장 팁이 있는 용기.

Nasal   말단 팁에 구멍이 있는 부드럽고 유연한 고무 또는 플라스틱 카테터 산소를 투여하는 데 사용된다.

Oropharyngeal   비강 카테터와 동일.

Pezzer's   말단에 확장부가 있는 거치형 카테터.

Prostatic   끝이 짧고 각진 카테터.

Robinson's   혈전이 하나 이상의 구멍을 막을 수 있을 때 배액을 용이하게 하는 2–6개의 구멍이 있는 직선 요도 카테터.

Subclavian   쇄골 하 정맥에 삽입하고 우심방으로 조작하여 중앙 정맥 접근으로 사용.

Swan-Ganz   폐동맥압을 측정하기 위한 풍선 팁이 있는 부드러운 흐름 유도 카테터이다. French Swan-Ganz 카테터라고도 함.

Tenckhoff's   복막 투석시 투석액을 주입하기 위해 투석 환자의 복강에 영구적으로 삽입되는 실리콘 카테터.

Texas   시판되는 콘돔 카테터의 상표.

Toposcopic   뇌종양에 직접 화학약물을 주입하기 위해 작은 혈관을 이용할 수 있는 소형 카테터.

Tracheal   기관 흡입 중에 체액과 삼출물을 제거하는 데 사용되는 팁에 작은 구멍 이있는 카테터.

Ureteral   요관에 직접 삽입하도록 설계된 긴 작은 게이지 카테터.

Urethral   요도를 통해 방광에 삽입 된 모든 카테터.

Winged   방광에 고정하기 위해 팁의 양쪽에 작은 플랩이 있는 부드러운 카테터.

검체 우선 순위

검체는 검사실에 도착한 후 가능한 한 빨리 처리해야 한다. 검체 관리 프로세스를 촉진하기 위해 검사실은 검체 취급의 우선 순위를 정해야 한다. 일반적으로 검체는 긴급 (urgent), 일상(routine), 선택(elective)의 세 그룹 중 하나로 분류할 수 있다.

긴급(Urgent)

긴급 검체는 즉각적인 주의가 필요한 생명을 위협할 수 있는 질병을 나타내므로 (일반적으로 병원 내 환자의 위치에 관계없이) 검체 도착 후 30분에서 1시간 이내 또는 첫 배양 때 일부 가판독 정보를 제출 의사에게 전달한다. 일부 기관은 자체적인 결정에 따라 골수 이식 환자의 모든 검체를 선택(elect)하고 면역 억제 요법을 받는 검체를 긴급한 것으로 간주할 수도 있다. 긴급 순위가 있는 검체(응급 검체)는 다음과 같다.

혈액,	환자 위치 무관
척수액,	환자 위치 무관
경기관 흡인,	환자 위치 무관
눈 검체 (안구내염),	환자 위치 무관
심낭액,	환자 위치 무관
양수,	환자 위치 무관
하기도 검체,	중환자실 한정
수술 검체,	중환자실 한정
관절액,	화농성 관절염이 진단된 경우

정규(Routine)

정규 검체는 즉각적으로 생명을 위협하는 후유증을 겪을 가능성이 없는 환자로부터 채취되지만 진단 확인 또는 예방 관찰이 필요한 잠재적으로 중요한 감염을 나타낸다. 정규 검체 중 우선 순위가 있는 것은 다음과 같다.

인후 검체,	환자 진단/위치 무관
흉막액 검체,	환자 진단/위치 무관
화상 검체,	환자 진단/위치 무관

눈 검체,	환자 진단/위치 무관
카테터 소변,	패혈증 환자 검체
소변,	중환자실 검체
생식기 검체,	패혈증 또는 패혈성 유산을 진단받은 환자의 산부인과 또는 수술
수술실 검체본,	수술실 검체
하기도 검체,	폐렴이 진단된 경우
복막액,	복막염이 진단된 경우

선별(Elective)

선택 검체는 처리가 다른 검체처럼 전문적이고 신중하게 처리되지만 그 결과가 응급 검사의 결과보다 더 확정적일 수 있다. 위의 긴급 검체 또는 정규 검체 이외의 모든 검체는 선택 검체이다. 표 6에서는 검사 업무에 있어 우선적으로 고려해야 한 검체 종류에 대해 제안하고 있다.

우선순위 문제

진단이 내려진 후, 매일 동일 환자의 동일 검체로 검사를 수행하는 것은 임상적으로 의미가 없는 경우가 많지만, 간혹 필요할 수도 있다. 일반적으로, 첫 배양 이후로 증상이 지속되면 3일 간격으로 재검을 의뢰하는 것이 현재 감염과 연관되었거나 내성을 발현하고 있는 병원체를 검출하는 데 적절하다(19). *Staphylococcus aureus*와 *Pseudomonas aeruginosa*는 더 자주 재검할 수 있다. 결핵균에 대해서는 예외이다.

신속 또는 긴급 검체의 취급 방침은 환자 치료에 있어 필수일 뿐만 아니라, 1988년 CLIA (Clinical Laboratory Improvement Amendments)에서도 요구하고 있는 사항이다.

- 지침에서는 라벨 부착 유무를 떠나 어떤 검체를 긴급 검체로 고려할 것인지 규정하고 있어야 한다.
- 신속 검사를 적절히 사용하면 환자 진료에 아주 중요하게 쓰일 수 있지만, 무차별적으로 의뢰하는 것은 비용 및 검사 남용 문제를 초래한다.

표 6. 검체 처리에 대한 우선 순위[a,b]

검체	제한	우선순위
혈액	24시간 내 최대 3회	긴급
체액 (척수액 제외)	없음	긴급
양수	없음	긴급
심낭액	없음	긴급
관절액 (관절염)	없음	정규
골수	없음	정규
복막액	없음	정규
흉막액	없음	선별
복수	없음	선별
담즙	없음	선별
관절 누출액 (비관절염)	없음	선별
뇌척수액	없음	긴급
환경검체		정규
정맥관 내 수액		선별
그 외 모두		
눈	없음	정규

여성 생식기 (무산소균 제외)

검체	제한	우선순위	
자궁경부	유형별 일 1회	산부인과 검체	정규
질	유형별 일 1회		
요도	유형별 일 1회	패혈증 또는 유산	정규
태반	유형별 일 1회		
음문	유형별 일 1회	그 외 모두	선별
산후 질분비물	유형별 일 1회		
회음부	유형별 일 1회		

여성 생식기 (무산소균)

검체	제한	우선순위	
태반, 제왕 절개	유형별 일 1회	중환자실	긴급
자궁내막	유형별 일 1회		
자궁	유형별 일 1회	패혈증 또는 유산	정규
곧창자자궁오목천자	유형별 일 1회		
난관	유형별 일 1회	산부인과/수술실	정규
자궁경부 흡인물	유형별 일 1회		
난소	유형별 일 1회	그 외 모두	선별
바토린선	유형별 일 1회		

검체	제한	우선순위	
남성 생식기	유형별 일 1회	선별	
사후 검체		선별	

하부 호흡기

검체	제한	우선순위	
기관	일 1회	중환자실	긴급
기관지	일 1회	폐렴	정규
객담	일 1회	그 외 모두	선별
경기관 흡인물	없음	긴급	
폐 생검	없음	긴급	

상기도		
목	유형별 일 1회	정규
코	유형별 일 1회	선별
구강	유형별 일 1회	선별
귀	유형별 일 1회	선별
굴 (sinus)	유형별 일 1회	선별
코인두	유형별 일 1회	선별
직장 또는 대변	일 1회	선별
표면 검체		
화상	유형별 일 1회	정규
물혹	유형별 일 1회	선별
욕창	유형별 일 1회	선별
삼출액	유형별 일 1회	선별
열상	유형별 일 1회	선별
병변	유형별 일 1회	선별
손톱주위염	유형별 일 1회	선별
피부	유형별 일 1회	선별
스토마 (stoma)	유형별 일 1회	선별
봉합	유형별 일 1회	선별
궤양	유형별 일 1회	선별
잔물집	유형별 일 1회	선별
수술 검체		
농양	일 1회	
흡인물	일 1회	
생검	없음	
뼈	없음	
피떡 또는 혈종	일 1회	
배액	일 1회	
삼출물	일 1회	
샛길	일 1회	중환자실 .... 긴급
정맥 내 삽관	일 1회	
보철물	없음	수술실 .... 정규
농	일 1회	
돌	없음	그 외 .... 선별
조직	없음	
상처	일 1회	
소변	일 1회	수술장 .... 긴급
		그 외 .... 정규

[b]출판사의 허락 하에 Ellner(40) 인용

- 검사실에서 효율성을 평가하기 위해 주의깊게 선정한 질 지표는 지속적으로 신속 검사 의뢰가 적절한지 파악하는 데 도움이 된다. 이런 맥락으로, 의사는 의뢰한 신 속 검사 결과를 알려주기 위해 검사실이 본인에게 상시로 연락할 수 있음을 인지 해야 한다.

긴급 검체라고 판단된 경우, 신속하고 정확하게 결과를 산출하고 이를 의뢰한 의사에 게 전달해야 한다. 이러한 검체 검사 결과는 의사에게 구두 또는 전화로 전달되어야 하며, 이를 위해 의사의 연락처는 의료정보시스템(healthcare information system, HIS) 또는 검사실정보시스템(laboratory information system, LIS)에서 조회가 가능해 야 한다.

- 집으로 연락을 해야 하는 경우가 생기더라도, 의사 또는 그 대리인에게 연락해야 한다. 간호사나 의뢰의가 아닌 누군가에게 메모를 남기는 것은 즉각적인 환자 진료 에 혼선을 줄 수 있다.
- 전화 기록부, 컴퓨터 검체 기록 또는 LIS에 결과가 전화되었음을 기록하고 기록에 는 통화 날짜, 의사와 통화 한 의사, 제공된 메시지, 검사실에서 전화를 건 사람을 포함한다.
- 긴급 검체 이외의 검체 결과에 대한 전화 메모 전달은 위에서 설명한 대로 통화 관련 정보가 기록되는 한 검사실 정책의 재량에 따라 다른 의료진에게 제공될 수 있다.

검체 거절 기준

무언가를 배양할 수 있다고 해서 꼭 해야 한다는 의미는 아닙니다!

Eileen M. Burd, Ph.D., D(ABMM)
Emory University Hospital, Atlanta, GA

모든 미생물 검사실의 검사 절차 지침에는 검체 거절 기준을 포함하도록 인증기관들 이 요구하고 있다. 이러한 거절 기준은 부정확한 검사 결과를 방지하고 검사실 직원의 안전을 도모하도록 설정한다.

기억하자: 검체의 접수 거절은 의료를 제공하지 않겠다거나 감염이 없다는 의미가 아니 다. 이는 단순히 환자 진료에 도움이 될 수 있는 임상적으로 의미있는 정보를 생산하려

면 새로운 검체가 필요하다는 것이다. 실제, 용기 파손으로 인해 검사실 직원 안전 위협이 있지 않는 한 검사실에서는 새로운 검체가 도착할 때까지 기존 검체는 검사실에 보관하고 있어야 한다.

간혹 검사실에 접수된 검체가 부적절하게 선택, 채취, 운송되었을 수 있다. 만약 이런 검체를 처리하면, 잘못된 정보를 제공할 가능성이 있고, 이로 인해 잘못된 진단과 치료를 초래할 수 있다. 대조물질을 통해 검사가 잠재적으로 부정확할 수 있음을 검사실에서 인지했다면, 그 결과는 보고할 수 없다. 검체 자체는 통제할 수 없음을 명심해야 한다.

- 임상적으로 의미있는 결과를 도출하려면 양질의 검체가 필요하기 때문에 검사실에서는 반드시 검체 접수 및 거절 기준을 엄격히 준수해야 한다. **미생물검사실은 질이 나쁜 검체는 단호하게 거절해야 한다.** 표 7에서는 검체 거절 기준을 일부 제시하고 있다.
- 의사가 부적절하게 선택, 채취, 또는 운송된 검체로 검사를 수행해줄 것을 요구하는 경우에는 검사실에서 결과가 부정확할 수 있음을 설명하는 문구를 추가로 기재해야 한다. 검사실 직원이 각 검체에 대해 파악한 관련 정보를 임상의사 또한 확실히 알아야 한다.

표 7. 검체 거절 기준

문제	대응
라벨이 부적절하거나 미부착	의사나 간호사에게 전화로 알린다. 관련하여, 적절한 라벨로 교체되거나 새 라벨로 접수된 후에 검체 전처리를 시작한다. 대응이 없는 경우, 의사에게 연락한다. 연락이 닿지 않으면, 당직자나 24시간 이후에 다시 연락한다. 그래도 응답이 없으면 우선 검사를 진행하되 그 결과는 보고하지 않는다.
운송 지연 　소변: 실온에서 > 1 시간 (보존제 미사용) 　원충 검사용 대변: 채취 후 1 시간 이상 　임질 검체: 운송배지 미사용 > 1 시간	검사 의뢰자에게 문제가 있음을 알리고, 재검체를 요청한다. 검사결과에는 "장시간 지연 보관 후 접수된 검체"임을 명시한다.

표 7. 검체 거절 기준   (계속)

문제	대응
부적절한 용기(비 멸균)	처리하지 않는다. 검사의뢰자에게 전화하여 재검체를 요청한다. 의사가 검사를 요구하는 경우 검사실 상급자에게 알리고 검사결과에 검체 용기 문제점을 기재한다.
용기에 유출이 있음	객담, 혈액 또는 바이러스 검사용 검체는 처리하지 않는다. 검사의뢰자에게 재검체를 요청하고, 유출용기는 가압증기멸균을 시행한다. 그 외 검체에 있어서는 재검체만 요청하되, 재검체 확보가 어렵다면 검사 결과에 용기에 유출이 있었음을 기재한다. 검사실 직원을 보호한다.
구인두 오염	검체를 처리하거나 결과를 보고하지 않는다. 검사 결과에 해당 내용을 추가 기재하고, 재검체 요청한다.
명백한 외부 오염	오염으로 인해 검사결과가 잘못될 수 있음을 알리고, 재검체 요청한다.
동시에 제출된 중복 검체	배양용으로 더 나은 검체를 고른다. 검사 결과에 해당 내용을 기재한다.
동일 오더에 대해 같은 날 의뢰된 중복 검체 (혈액 제외)	검체를 냉장고에 보관한다. 검사의뢰자에게 중복검체임을 알린다. 검사 의뢰에 맞추어 검사하되, 중복 검체 중 하나임을 결과에 기재한다.
배양에 부적절한 검체(예: 무산소배양을 의뢰하면서 검체를 공기에 노출하여 운송함)	검사의뢰자에게 전화하여 해당 문제를 알린다. 요청한 작업에 적합한 검체를 요청한다.
충분하지 않은 검체량	혈액: 성인 기준 5 ml 미만인 경우, 재검체를 요청한다. 검사를 진행하는 경우, 보고서에 해당 문제를 기재한다. 그 외 검체: 검사종류나 수량이 여러 개인 경우, 검사의뢰자에게 연락하여 검사의 우선순위를 확보한다.

다양한 이유로 부정확한 결과가 생성될 수 있는 일부 검체 종류가 표 8에 나열되어 있다. 운송 및 보관 온도는 미생물의 생존에 필수적이다(20). 진료팀의 각 구성원은 이렇게 비생산적이고, 혼동의 소지가 있는 검체 유형을 파악하고, 미생물 검사용으로 접수하지 않도록 주의해야 한다. 추가로, 검사실에서는 부적절한 무산소균 배양 요청을 받을 수도 있는데 이 역시 잘못된 결과를 제공할 수 있다. 표 9는 무산소 배양에 있어 적절한 검체와 부적절한 검체를 표시하고 있다.

표 8. 의심스러운 미생물 정보로 인해 권장하지 않는 검체

검체 유형	대응
표재성 구강 및 치주 병변, 도찰물[a]	조직 또는 흡인 요청
욕창, 도찰물	조직 또는 흡인 요청
정맥류 궤양, 도찰물	조직 또는 흡인 요청
화상, 도찰물	조직 또는 흡인 요청
표재성 괴저 병변, 도찰물	조직 또는 흡인 요청
직장 주위 농양, 도찰물	조직 또는 흡인 요청
장관 내용물	처리하지 마십시오
토사물	처리하지 마십시오
도뇨관 말단부	처리하지 마십시오
결장루 분비물	처리하지 마십시오
산후 질 분비물	처리하지 마십시오
신생아의 위 흡인	처리하지 마십시오

[a] 구강병변 검체는 특정 미생물을 계수하고 검출할 수 있는 특수 미생물학적 방법이 가능한 검사실에서 처리해야 최상의 결과를 얻을 수 있다.

표 9. 채취 방법에 따른 무산소 배양 가능 여부

검사 가능 검체	검사 거절 검체
흡인 (바늘과 주사기 사용)	솔을 사용하지 않은 기관지폐포세척(not protected)
바르톨린샘	자궁 경구 도찰물
쓸개즙	기관 내 흡인

(계속)

표 9. 채취 방법에 따른 무산소 배양 가능 여부

검사 가능 검체	검사 거절 검체
혈액	자궁경관 내 도찰물
골수	산후 질 분비물
솔을 이용한 기관지경 검체(protected brush)	코인두 도찰물
곧창자자궁오목천자 검체	회음부
나팔관	전립선 또는 정액
자궁내 피임기구에서 방선균 배양	객담
난소	유도 객담
제왕 절개를 통한 태반	대변ᵃ 또는 직장 검체
부비동 흡인	인후 도찰물
C. difficile 용 대변	기관 절개술 흡인
수술, 면봉	요도
수술, 조직	소변, 방광 또는 카테터
경기 관 흡인	소변, 배뇨
자궁, 자궁 내막 흡인	질 또는 외음부
소변, 치골 상 흡인	상처, 표면 / 표면

ᵃ보툴리눔독소증(특히, 유아의 경우), *Clostridium perfringens* 식중독, *C. difficile* 관련 위막성 대장염, 흡수장애 증후군 등의 몇몇 예외에 있어서는 상부 위장관 균총의 과집락화 검출이 필요할 수도 있다.

세균학적 검사를 위해 24시간 이내에 동일 환자의 중복 검체를 검사하는 것은 적절하지 않다.

- 일반적으로, 동일 환자에서 적절하게 채취한 첫 검체에 비해 날짜별로 2–3개씩 의뢰한 인후 또는 상처 검체로부터 얻을 수 있는 추가 정보가 없다.

- 중복된 검사 의뢰는 대체로 사무 오류로 발생하는데, 환자에게 과다한 비용을 부담시키고 검사실 효율을 낮추고 있다. 그러나, 일부 병원체 감염을 배제하기 위해 2–3개의 연속 검체(하루에 하나씩)를 통해 음성임을 확인해야 할 수도 있다. 반대로, *Giadia lamblia*와 같은 병원체는 대변 내 매우 적은 수로 존재하므로 하나의 검체만 검경하면 검출에 실패할 수도 있다. 그러므로, 검경이 필요한 경우에는 하루에 하나씩, 3개의 검체를 연속적으로 의뢰해야 한다. 물론, 분자진단학적 검사나 효소면역 검사용으로는 하나의 검체로도 충분하다.

검사실 보고서에 대한 거부 진술 또는 추가 사항

> 당신은 검사실 설문을 하고 있는 것이 아니라 환자를 치료하고 있다는 것을 기억하라. 결과가 이해가 되지 않으면 검사실 책임자에게 문의한다.
>
> Bruce Hanna, Ph.D., D(ABMM)
> Bellevue Medical Center, New York, NY

검체가 부적절하게 선택, 채취, 운송되었거나 혹은 그 외 다른 이유로 부득이하게 거절해야 하는 경우 검사실에서는 결과의 잠재적인 오류 가능성에 대해 기술하는 것이 적절하며, 필요하고, 또 요구되기도 한다. 종종 검사실에 근무하는 미생물학자는 배양결과, 그람 염색, 그리고 환자 정보를 바탕으로 검체 상태 또는 결과 해석에 대한 설명이나 기술이 올바른지 확인할 수 있다. 이러한 기술의 목적은 임상의에게 환자에게 영향을 줄 수 있는 잠재적인 문제나 해석 정보에 대해 경고하는 것이다. 여기 제시된 것은 검사실 종사자가 결과 보고 시 참고할 만한 기술 내용이다. 모든 기술과 기술 조건은 검사실 담당자에게 검증받고 업무 지침에 기재해야 한다.

부적절한 상황이 발생했을 때 사용하는 기술

특정 미생물에 대해 검사를 시행하지 않을 때. "이 신체부위의 미생물은 임상적 의미를 제공하지 않으며 잘못된 결과 해석을 초래할 수 있기에 정규검사 대상이 아닙니다."

분석 전 단계의 문제가 명백하다. "이 결과는 부적절하게 선택, 채취, 운송된 검체로 수행한 것이므로, 임상적으로 중요할 수도 있고 아닐 수도 있다."

기타 상황. 아래의 이유로, 이 결과는 정확할 수도 아닐 수도 있다.

- "동정된 미생물의 임상적 의미가 모호하다."
- "검체가 부적절하게 채취되었다."
- "검체가 부적절하게 운반되었다."
- "정상 상재균에 의해 심하게 오염되어 잠재적인 병원균의 성장에 방해가 된다."
- "검체를 운송 전에 냉장하였다/냉장하지 않았다."

의사를 위한 추가 정보. "*Clostridium septicum* 균혈증과 백혈병, 림프종 또는 대장 암종 사이의 상관 관계가 있음이 문헌보고되었다." 또는 "이 문헌은 *Streptococcus bovis*

균혈증과 소화기계 암과의 상관관계를 보여준다."

운송용기가 훼손되었다. "검체 수령 시 용기 파손에 따른 내용물 오염이 우려되어 검사를 취소한다."

상처의 그람 염색에서 보이는 상피세포. "이 검체로 수행한 그람 염색 결과로 미루어 보아 피부상재균에 의한 오염이 심하여 배양 결과에도 영향이 있을 것으로 추정된다. 오염을 시사하는 상피세포가 다수 관찰된다."

그람 염색은 표면 오염을 암시한다. "검체는 산소성 배양에 부적합하다. 정규 산소성 배양 검사를 중지하니, 추가 조치가 필요한 경우 검사실에 문의하기 바란다."

그람 염색 결과는 공생 상재균의 존재를 암시한다. "임상 검체의 그람 염색 결과로 미루어 보아 검출된 미생물은 공생 상재균이 가능성이 높다."

선택적 감수성 검사 정책. "감수성 검사는 경험적 치료에 대한 예측 반응 때문에 이 균종에 대해 정규검사로 수행하지 않는다. 1차 치료 약제로 _____를 고려할 수 있다."

디스크 또는 최소 억제 농도(MIC) 해석 기준이 존재하지 않는 미생물에 대한 감수성 검사. "이 감수성 검사 결과에는 정량적 MIC 결과만 포함된다. 감수성 또는 내성으로 해석하기 위한 해석 기준이 존재하지 않는다. 항생제에 따라, 감염 조직에서의 항생제 농도가 일정 기간 동안 MIC 수준에 달하거나 MIC의 8배 수준으로 유지된다면 치료가 가능할 수 있다. 감염 전문의와 상의하도록 한다."

그람 염색을 통한 객담의 질 평가. "이 객담 검체의 그람 염색을 통해 다수의 구인두 편평 상피세포가 관찰되므로, 검사 결과가 임상적으로 관련 없을 수 있다. 주의깊게 해석한다."

의사가 그 외 부적합 검체에 대한 결과를 요구한다. "이런 결과는 의사가 특별히 요구하는 경우 보고할 수 있으며, 정확한 감염 인과관계가 성립할 수도 있고, 아닐 수도 있다."

특수 검사

모든 병원검사실에는 기술의 한계가 있다. 이런 기술적 한계 때문이거나 검사 복잡성이 감당할 수준이 아니라면 표준검사실이나 특수검사실에 의뢰하는 방법도 있다. PCR, rRNA 염기순서분석, 차세대 염기순서분석, 그 외 다양한 검사 방법을 이용한 분자진단학은 일부 검사실에서는 사용할 수 없는 것일 수 있지만, 흔한 미생물 뿐 아니라 드문 미생물에 대해서도 정확한 결과를 제시한다.

어려운 증례의 특수 검사 요청을 수용하기 위해, 특수 검사실 또는 표준 검사실의 검사 메뉴는 모든 검사실 이용자들에게 개방되어 있어야 한다.

- 이 메뉴에는 제공하는 검사 항목, 수행 검사실, 예상 소요시간 및 비용 등이 포함되어 있어야 한다.

- 이 메뉴는 검사실 업무 지침에 포함되어야 하며, 별도로 운송이 필요한 경우 포장 및 운송 지침도 역시 제공해야 한다. 이상적으로는 이러한 업무 지침은 새로운 검사 등을 바로 반영할 수 있게 6개월마다 업데이트하는 것이 좋다.

- 결과를 전송한 검사에 대해 모두 서면이나 전산으로 기록을 남기고 보관해야 한다. 기록에는 환자명 또는 식별자, 주치의명, 의뢰검사명, 검사수행검사실, 검체접수일, 결과전송일 등이 포함되어야 한다. 검사 결과는 표준검사실에서 수행했음을 명시해야 하며, 코드나 이름으로 보고서 양식 별로 식별할 수 있어야 한다.

- CLIA에서는 의뢰 검사실이 표준 검사실에서 수행한 검사 결과의 원본 또는 사본을 보관하도록 규정하고 있다.

환경 검체

환경 검체 채취 및 배양은 전문 분야로, 환자로부터 유래한 임상 검체를 채취하고 처리하는 것만큼이나 복잡하다. 따라서, 많은 임상 미생물학자는 환경 검체에 사용하는 고유한 채취방법이나 배양 조건에 대해 익숙하지 않고, 준비되어 있지도 않으며, 인증된 전문가도 아니다. 임상미생물검사실 소속 검사자에게 이러한 분야 교육이 필요할 수 있고, 검사실은 환경 검사에 특화된 별도의 품질 관리 프로그램을 수립해야 한다. 또한, 특정 수질 및 폐수 검사를 위해 주정부의 인증이 필요할 수 있다.

의료기관에서 환경검체를 채취하는 것은 직접적인 역학 정보가 없는 경우 배양 결과가 혼동의 여지를 줄 수 있으므로, 일상적으로는 권장하지 않는다. 추가로, 환경 검사는 종종 *CLIA* 외의 다른 정부기관에 의해 규제되므로 그러한 검사를 수행하기 위해서는 해당 인증을 받아야만 한다. 미국 질병관리본부의 가이드라인은 *MMWR 52:1-42*에서 찾을 수 있다.

- 집단 발병을 일으킨 병원체가 환경 표면에서 검출될 수도 있지만, 환경 표면이 미생물 전파 경로에 기여했다거나 특히 면역 저하 환자군에서 질병을 일으킬 수 있을 만큼 충분한 감염량이 존재했다는 증거가 희박하다.
- 기본적인 병원체 전파 양식은 의료진, 환자, 방문객의 손에 의한 것이다. 적절한 손 위생은 대부분의 의료 관련 감염병을 예방할 수 있는 최선의 방법이다.

환경 검체 채취에 대한 주의 사항

1. **미국에서 가장 흔한 세 가지 원내 감염은 수술 부위 감염, 요로 감염 및 폐렴이다. 이러한 감염은 무생물을 만지거나 오염 된 공기를 흡입하여 쉽게 감염되거나 전염되지 않는다. 따라서 공기, 물 또는 fomite 표면의 일상적인 샘플링은 종종 감염 전파를 예방하는 방법에 대한 정보를 거의 제공하지 않는다.**

   재사용 가능한 의료기기 및 인공호흡기가 부적절하게 세척되고 소독되어, 면역저하 환자에게 감염 위험을 제공한다.

   추가로, 일부 환자 치료에 사용되는 물을 제대로 소독하지 않아 의료시술에 사용되는 카테터 등의 내강에 형성된 균막이나 물 자체의 미생물에 환자들이 노출되게 한다.

2. **임상미생물학자는 환경에서 분리된 미생물이 혈액 한천이나 초콜렛 배지와 같은 영양 배지에서 최적의 성장을 보이지 않을 수 있고, 일부 상용화 동정 장비에서 동정되지 않을 수 있음을 인지해야 한다.**

   수중에서 생존할 수 있는 미생물은 보통 영양분이 고갈된 환경에 적응해 왔기에 특정 배양 조건과 R2A와 같은 조성 배지를 필요로 할 수 있다.

   물은 0.45 μm 사이즈의 멤브레인 필터를 통해 여과할 수 있으며, 필터는 액체배지나 고체배지를 이용해 배양할 수 있다. 표준 계수법도 역시 가능하다.

현재 일상적으로 배양하도록 유일하게 권장하고 있는 것은 신장 대체 요법(혈액투석, 혈액여과, 혈액투석여과)에 사용되는 물을 대상으로 한다. 이 경우, 배양에 사용할 수 있는 배지는 혈액이 포함되지 않은 trypcase soy agar, standard methods agar, standard plate count agar 또는 이와 동등한 배지이다. 혈액투석 용수의 세균 허용 기준은 ml당 200 CFU 이하이다.

검사실에 식용수 검사 요청이 들어온다면, 대부분의 주에서 주별 규정이나 중앙정부 규정을 준수할 것을 요구하기 때문에, 해당 검체 처리를 위해서는 인증을 획득해야 한다.

3. 비누나 소독제로 자주 세척하는 표면에서 채취한 검체에는 미생물이 살아있기는 하지만, 일반적인 채취 과정에서 사용한 잔류 소독제 등으로 인해 억제될 수 있다.

이러한 미생물의 성장을 촉진하기 위해 중화제가 포함된 배지나 운송 용기를 사용할 수 있다.

4. *Aspergillus* spp.와 같은 실내 곰팡이나 *Legionella* spp.와 같은 세균을 검출하기 위한 공기 채집은 데이터의 해석과 동일하게 어렵고 복잡하다.

실내 공기 분석과 집단발병과의 인과관계 분석에 사용되는 가이드라인은 존재하지 않는다.

습도가 높은 미국 지역에서는 공기 중에서나 공조 시스템 내, 심지어 빈번하고 성가신 배지 오염원으로 *Aspergillus* spp.나 그 외 곰팡이가 검출될 가능성이 높다.

공조 시스템이 관련된 경우, 살진균제나 염소계 소독제로 자주 표면을 소독하면 일시적으로 증상이 완화된다. 근본문제는 거의 전문 서비스가 요구되는 공조 시스템에 남아 있다.

포자의 농도는 하루 중에서도 몇 시간 내에 예측할 수 없이 엄청난 규모로 변화한다. 공기량을 정량적으로 측정하기 위한 동력식 공기 채집기는 공기를 채취하는 데 유용한 방법이다. 검사실은 대기 오염의 기준 수준을 문서화하고 주기적으로 이식 환자나 중증 면역저하 환자 병실 내 치료 구역을 모니터링할 수 있다.

손위생 검체

병원 내 감염원을 특정하기 위해 손 검체를 채취하는 것이 감염관리 차원에서 집단발병의 원인을 찾는 데 도움이 될 수 있다. 멸균 면봉은 일반적으로 손의 표면 검체를 채취하는 데 사용되지만, 부적절하게 사용될 수도 있다. 특수 소형 거즈 스펀지, 상용화 제품(Handi Wipe), 200–300 ml의 액체배지로 손 위생하는 것으로 손의 미생물 집락을 보다 확실히 확인할 수 있다. 손 검체 채취는 감염관리부서에서 손을 전파 경로로 의심하고 있는 상황에서 집단발병의 원인을 규명하는 용도에 한해 수행해야 한다. 검사 대상은 역학적으로 연관된 사람만 포함한다.

만약 검사실이 환경 검체 채취 및 배양 경험이 없는 경우, 자문가 도움을 고려하거나 외부 특수 검사실의 검체 채취 정보 및 기술 지원의 도입을 고려하는 것이 권장된다.

검체가 원내에서 처리되는 경우, 선별검사에 준해 검사를 수행할 수 있으므로 바쁜 업무 시간을 피할 수 있다.

수기 채취 과정의 예:

1. 0.02% Tween 80에 미리 적신 멸균 수건(wipe)을 사용하여 손바닥과 손가락 표면을 닦은 후 멸균 컵이나 주머니에 넣어 검사실로 운송한다.
2. 검사실에 도착하면, 0.02% Tween 80 용액 120 ml를 각 컵에 넣은 후, 15–30분 간 교반시킨다.
3. 교반이 종료되면, 0.1 ml, 1 ml, 50 ml를 덜어 여과한 후 멤브레인 필터 기법(membrane filter technique)으로 배양한다.

검사실 보고서

미생물검사결과를 작성하고 송부하는 세부 지침은 여기서 다루지 않는다. 다만, 몇 가지 언급할 내용이 있다.

- 검사실 보고서는 검사 결과를 사용할 권한이있는 사람이나 특수 검사를 요청하는 검사실로만 즉시 보내야한다.
- 모든 예비 및 최종 보고서의 사본 또는 사본은 2년 동안 보관해야한다. 면역 혈액

학 보고서와 병리학 보고서는 각각 최소 5년과 10년 동안 보관해야 한다.

- CLIA는 기기 인쇄물을 환자 차트에 게시 할 것을 요구하지 않지만 이러한 인쇄물은 검사실의 기록 보존 요건의 일부로 유지해야한다.

검사 시행 검사실명은 검사결과에 명시되어야 한다. 여러 병원이 통합되어 미생물검사는 중앙검사실에서만 수행하고, 다른 검사들은 각 병원에서 수행하는 형태이더라도 검사가 시행된 곳을 의료진이 검사결과에서 확인할 수 있어야 한다. 검사결과 보고 지침은 다음과 같은 내용을 포함해야 한다.

- 보고서의 가독성
- 검사실 정보 시스템의 보안, 보고서에 액세스 할 수 있는 사람 및 권한이 없는 사용자가 차단되는 방법을 포함한 보고서의 기밀성
- 결과 해석을 지원하는 전문가 컨설팅 메커니즘. ABMM 인증 미생물학 컨설턴트가 권장되며 박사 수준의 임상 미생물학 전문가의 서비스 없이 검사실에 현명한 투자이다.
- 적절한 경우 특별한주의 또는 생명을 위협하는 값이 필요함을 나타낼 수 있는 기준 범위 또는 중요한 결과 제공
- 보고서에서 잠재적으로 손상 될 수 있는 결과 특성에 대한 설명

> *임상의들에게: 이 결과로 무엇을 할 것인지를 알아야 한다. 당신에게는 결과를 리뷰하고, (할) 행동에 대한 책임이 있다.*
>
> Robbrt Jerris, Ph.D., (D)ABMM
> Childrens Healthcare of Atlanta, Atlanta, GA

2장

검체에 관한 지침과 근거

검사실은 담당 의료진 또는 검사실의 고객과 협력해서 좋은 의료와 좋은 검사실 업무를 유지할 수 있도록 검체에 대한 지침을 수립해야 한다. 이러한 지침은 문서로 만들어야 하며, 미생물 검사실의 모든 사용자와 고객에게 사본을 배포해야 한다. 지침에는 어떻게 검체를 채취하고 취급해야 하는지에 대해 주의 깊게 준비하고 과학적 근거가 있는 내용을 포함해야 한다. 간호사와 임상 의사는 검체 채취와 처리에 관한 검사실의 요청 사항을 잘 이해해야 한다. 또한 지침은 검사실에서 필요로 하는 사항과 그에 대한 근거를 다루어야 한다. 검사실 책임자는 의사, 간호사, 검체를 채취하는 기타 직종에 대해 검체 채취 및 관리 지침에 대한 복무 중 교육을 제공할 수 있어야 한다. 이 절에서는 간단한 지침에 대해 설명하고, 각 지침의 근거는 이탤릭체로 설명한다.

채취 시간

검체 정보에 반드시 채취 시간을 포함해야 한다. 채취 시간이 없으면 결과를 해석하기 어려울 수도 있다.

Patricia Charache, Ph.D., (D)ABMM
(Deceased)

1. 최적의 채취 시간을 정하려면 감염병의 종류와 검사실의 검체 처리 능력을 모두 고려해야한다. 검사실은 주간에 직원이 더 많기 때문에 주간에 검체를 접수해서 처리하기 더 용이하다.

   저녁이나 야간에는 미생물 검사실 직원이 적다. 저녁에 채취한 검체는 다음날 아침까지 충분히 자라지 않을 수 있다. 그러나 비번일 때 긴급한 검체를 처리하고 보고할 수 있는 규정이 있어야 하며, 필요 시에 책임자에게 의뢰하는 것을 강력히 추천한다.

2. 배양용 검체를 24시간 동안 모으는 것은 권장되지 않으며, 그런 검체는 임상미생물학자나 진단검사의학과 의사와 상의한 후에만 보낼 수 있다.

   저장했던 검체는 오염균이 과증식할 가능성이 높다. 검사실의 배양 기술이 발전하면서 배양에 예전처럼 많은 양의 검체가 필요하지 않다.

3. 성인에서 아침 첫 객담과 소변 검체는 항산균, 진균, 다른 병원균의 배양에 적합하

다. 그러나 다른 시간에 채취한 검체도 사용할 수 있다. 아침에 채취한 분비물은 더 농축되어서 원인 병원체가 더 많이 들어있을 가능성이 높다.

7세 미만의 아동은 이른 아침 검체를 제대로 채취하기 어렵다. 이 연령대에서 채취한 검체는 대부분 임의의 시간에 채취한 것이기 때문에, 원인 균 검출을 극대화하기 위해서는 3일 동안 연속해서 검체를 채취해야 할 수 있다. 특히 위 흡인액의 경우에는 더욱 그렇다.

배변 훈련을 받지 않은 어린이의 첫 소변 검체는 임의의 시간에 채취한 검체와 차이가 없다.

4. 혈액 배양의 채취 시기는 환자 상태를 고려해서 결정해야 한다. 임상 의사는 채취 일정을 명확히 알려야 한다. 24시간 동안 최대 세 쌍의 배양을 하면 대부분의 패혈증을 진단할 수 있다. 개선된 배양 시스템을 사용하고 많은 양의 혈액을 배양하면, 채취 횟수를 줄일 수 있다. 많은 경우에 동시에 서로 다른 부위에서 채취한 두 쌍의 검체면 충분하다.

심내막염, 장티푸스, 브루셀라증, 그 외의 조절되지 않는 감염에서는 균혈증이 지속되기 때문에 채취 시간이 덜 중요하다. 다른 경우에는 균혈증이 간헐적으로 보이며 발열보다 한 시간 정도 먼저 나타나기 때문에 채취 시기가 중요하다.

급성 발열 삽화에서는 서로 다른 정맥 천자 부위에서 각각 10 ml 이상 두 쌍을 채취한 후에 즉시 항균제 치료를 시작할 수 있다. 24시간 동안 3번의 음성 결과를 보인 후 배양률은 극히 낮은데, 갑작스러운 발열이 나타나는 경우는 예외적이기 때문에 추가적인 혈액 채취를 고려할 수 있다.

소아 환자에서 24시간 이내에 1쌍 이상을 채취하려면 환아의 체구와 적합한 채혈 부위가 있는지를 고려해야 한다. 5세 미만일 경우 1–5 ml가 더 권장되지만, 0.5 ml 이상의 양이면 적합하다. 적절한 채취 양에 대해서는 제조사 권고사항을 확인하도록 한다.

소아 환자에서는 채혈량이 적어도 반드시 접수해야 하지만, 채혈량이 적어서 검출이 지연될 수 있음을 담당 의사에게 알리도록 한다.

5. 다음의 검사 항목은 검사실에서 상시로 시행하지 않는 이상 반드시 진단검사의학과 의사 또는 미생물 검사실의 감독자와 협의한 후에만 시행해야 하며, 검체로 검사를 시행할 경우에는 검사실 지침에 프로토콜이 명시해야 한다.

a. 바이러스 배양. 검사를 상시 시행하는 경우는 예외로 한다. 대부분의 바이러스 검체는 현재 유전자 검사법으로 검사를 하며, 지역사회 병원에서 바이러스 배양은 거의 시행하지 않는다.

b. 혈청살균력 검사, 혈액의 항생제 검사

c. 매독균이나 다른 세균의 암시야 현미경 검사

d. 진균 배양을 위한 특수 혈액 배양

e. 기타 드문 원인균의 검출

f. 소아에서 백일해 검사, RSV 항원 검사, rotavirus 항원검사, *Malassezia furfur* 검사

이러한 검사는 특수한 검사 장비나 일반적으로는 사용하지 않는 영양 배지 또는 선택 배지가 필요하다. 유전자 검사는 많은 검사실에서 직접 시행하거나 표준 검사실에 의뢰한다.

일부 검체는 원인균이 가장 잘 검출되게 할 목적으로 또는 결과를 치료제와 함께 해석해야 하기 때문에 특정한 시간이나 특정한 방법으로 채취해야 한다.

임상 의사는 드문 감염병으로 추정될 경우 검사실에 알려야 할 의무가 있다. 특별한 채취 방법이나 채취 도구가 필요할 경우 검사실 직원과 상의해야 한다.

채취 과정

임상의사는 좋은 검체를 채취할 의무가 있다. 검사실은 좋은 검사 결과를 만들 의무가 있다. 이 두 가지가 잘 이루어지면 음성 결과는 양성 결과만큼이나 진료에 도움이 된다.

Eileen M. Burd, Ph.D., D(ABMM)
Emory University Hospital, Atlanta, GA

1. 모든 검체는 적절한 무균 용기에 채취해야 한다. 검체 처리나 검사실 이송이 지연되면, 수송배지를 사용해야 한다. 무균 용기를 사용하지 않으면 결과 오류가 발생할 수 있다. 검사실에서는 내용물이 유출되지 않도록 적절하게 만들어진 무균 검체 용기가 임상의사나 병동 직원에게 제공되는지 확인해야 한다.

바이러스 검사용 검체를 사용할 수 있어야 하며, 검체 채취 기구와 바이러스 수송배지를 사용할 때는 제조사 지침을 따라야 한다.

2. 무산소성 검체를 채취하는 가장 좋은 방법은 멸균 주사기로 농양을 흡인한 후에 무산소균 수송병에 넣는 것이다. 최선의 방법은 아니지만 주사기에서 바늘만 제거한 후 바늘 뚜껑을 덮은 후에 배양 검사를 의뢰해도 된다. 면봉 도말 검체는 무산소균 배양 용으로 부적합하지만, 부득이한 경우에는 즉시 적절한 무산소균 수송통(packet)에 넣은 후 한천 플러그(agar plug)에 밀어 넣는다.

무산소성 균은 대기 중의 산소에 노출되거나 건조하면 죽기 때문에 조심해서 보호해야 한다. 검사실에서 접종하기 전에 대기 중의 산소와 가능한 노출하지 않아야 무산소균이 배양될 확률이 높아진다. 소아 환자에서는 심각한 무산소성 감염이 거의 발생하지 않는다. 소아 환자에서는 *Clostiridium perfringens*에 의한 식중독이나 보툴리눔 독소증을 진단하기 위해서 대변과 혈액을 채취할 것을 고려해야 할 수 있다.

3. 세균성 폐렴의 진단에 가장 좋은 검체는 객담이 아니라 혈액일 수 있다. 배양을 위한 객담 검체는 그람 염색을 관찰했을 때 하기도 분비물이 포함되어 있어야 한다. 환자에게 채취 전에 입을 물로 헹구거나 가글할 것을 요청해야 한다. 틀니는 채취 직전에 빼야 한다. 환자는 두세번 깊이 숨을 들이마신 후 깊게 기침해야 한다.

모든 객담 검체는 구인두 분비물에 의해 다양하게 오염될 수 있다. 객담 검체를 그람 염색해서 관찰했을 때 정상 구인두 상재균이 관찰되면 검체를 거부할 수도 있다.

객담을 배출하기 직전에 입을 헹구면 구강 내 상재균의 수를 줄일 수 있다.

유도 객담이나 기관지 흡인은 객담을 배출하기 어려운 성인 환자에서 권장된다. 기관지폐포세척액이 가래보다 더 검출률이 좋을 수 있다.

소아 환자에서는 초등학교 고학년이나 청소년일 경우에는 적절한 질의 객담을 뱉어낼 수 있다. 유아나 초등학교 저학년일 경우에는 세균성 폐렴 진단을 위해서 기관 흡인이나 기관지 흡인을 채취하는 경우가 더 흔하다.

백일해나 영유아 클라미디아 폐렴 진단을 위해서는 비인두 도말을 채취할 수 있다.

후두기관염(croup), 급성기관염, 세기관염, 폐렴을 일으키는 호흡기 바이러스 진단을 위해서는 비인두 흡인을 채취해야 한다.

4. **기관지폐포세척액(BAL) 검체는 기관지 세척액보다 폐렴 진단용으로 더 우수하며, 두 검체 모두 채취 즉시 처리해야 한다. 오염되지 않은 객담을 채취하기 어려울 때는 BAL 검체가 가장 좋은 검체일 것이다. 결핵균 분리용으로 채취한 이런 검체의 수송이 지연되었을 때, 증균 배지를 사용하는 것이 좋은지에 대해서는 현재 명확한 지침이 없다.**

*Haemophilus influenzae*와 같은 일부 호흡기 감염 검체는 건조나 저온에 취약하다.

M. tuberculosis 검체를 수탁 검사실로 수송할 때는 증균 배지를 사용하지 않고 보내야 한다. CPC–NaCl 용액은 객담검체를 수송할 때 대부분의 오염균을 살균하면서 결핵균을 수일간 보존해준다. PCR도 시행할 경우에는 별도로 검체 일부를 오염제거 처리 없이 보낸다.

소아의 경우에는 기관지나무의 내강이 좁기 때문에 BAL 검체를 채취하기 어렵다.

5. **청결하게 채취된 요검체는 노력 없이 얻을 수 없다. 환자가 채취 방법에 대해 명확히 안내 받은 후 간호사나 보조원의 도움을 받아 채취하는 것이 가장 이상적이다. 환자가 무엇을 어떻게 해야할지 알 거라고 기대해서는 안 된다. 그림을 사용해 채취 과정을 설명한다.**

대부분의 검사실에서는 요 검체의 집락 수를 통상적으로 보고하기 때문에, 방광소변을 잘 반영하는 의미 있는 결과를 얻으려면 세심한 주의를 기울여야 한다. 여성 환자는 질 또는 장내 세균총에 의해 요도 주변 부위가 오염될 가능성이 높다.

환자가 무인 채취실에서 채취를 해야할 경우에는, 구체적으로 작성된 구두 또는 서면 지침이 있으면 좋은 검체를 채취하는 데 도움이 된다. 특히 언어 장벽이 있는 경우에는 지침을 읽는 것이 도움이 된다. 환자가 검체를 채취하는 동안 사용할 수 있도록 이러한 지침을 카드에 출력해서 제공하는 것을 권장한다. 이 지침은 해당 지역의 주요 언어들로 제공해야 한다. 그림도 도움이 된다.

검사 요청서는 환자의 증상 유무를 명시해야 하며, 이러한 정보는 검사실이 검체에 있는 병원체 수를 더 정확히 해석하고 임상적으로 중요한 정보를 제공하는 데 도움이 되며, 특히 적은 수의 병원체가 있을 경우 더 유용하다.

소아 환자들은 의료진이나 부모의 도움을 받아 좋은 검체를 청결하게 채취할 수 있다. 초등학교 저학년 이하 환자는 소변 백 검체를 사용할 수도 있으나, 치골상부 흡인뇨가 가장 좋으며, 카테터 채취뇨가 그 다음이다.

6. 항산균 분리를 위해 채취한 대변 검체는 염색에서 항산균이 관찰되지 않더라도 나머지 검사를 진행해야 한다.

대변 검체는 장내 세균이 과증식하기 때문에 항산균 분리가 어려운 경우가 많아서, 특별한 처리를 시행해야한다. HIV-1에 감염된 소아의 대변 검체도 항산균 검사를 시행하는 경우가 많다. *Mycobacterium avium*이나 *M. intracellulare*에 감염된 소아 환자는 항산성 염색에서 양성인 경우가 많다.

7. 창상의 표면 병변 검체는 조심해서 채취해야 한다. 표면 병변을 열고 주변으로 병변이 퍼지는 가장자리 부위를 확실히 채취해야 한다. 화농성 삼출물은 꼭 짜내서 흡인하거나 면봉으로 채취해야 한다. 표면 병변 검체는 무산소균 배양에는 적절하지 않다.

그러나 화농성 삼출물만을 채취하면 그 안의 미생물이 이미 죽어서 평판 배지에서 증식되지 않을 수도 있다. 병변 가장자리 검체가 창상 병변을 가장 잘 반영한다.

표면 병변을 대충 문지른 건조한 면봉을 제출해서는 안 된다.

무산소균은 피부 표면에 흔하고, 표재성 창상의 흔한 오염균이다. 따라서 표면 병변 검체의 무산소배양은 권장되지 않는다. 채취 전에 창상 주변을 주의 깊게 소독해야 한다.

특히 소아 환자에서 세균성 봉와직염 진단 용 검체를 채취할 경우에는, 병변 부위를 마취하고 피하층에 정균 성분이 들어있지 않은 멸균증류수를 소량 주입한 후에 주사기로 다시 흡인하여 배양할 수 있다.

8. 무산소배양용 창상 검체는 적합한 무산소성 수송배지에 넣어서 제출해야 한다(그림 10).

무산소성 수송배지는 무산소균을 가장 확실하게 보호할 수 있도록 설계되었다. 다른 수송 방법을 쓰면 일부 무산소균을 잠시 보존할 수는 있으나 균이 잘 자라지 않을 수 있다. 임상 진료에서는 무산소균에 대한 완벽한 검사 결과가 필요하기 때문

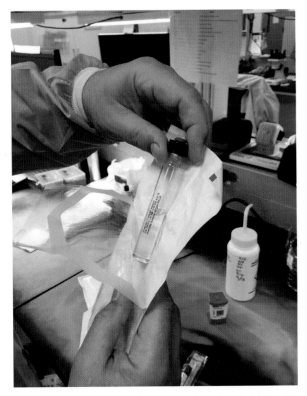

그림 10. 무산소배양용 검체는 무산소균이 산소에 노출되는 것을 가장 확실하게 예방할 수 있는 수송 용기와 조건을 필요로 한다. 면봉, 조 직, 흡인액의 수송을 위한 많은 상업용 제품이 있으며, 제조사 지침 이 있는 경우 그에 따라야 한다.

에, 적절한 검체를 선택해서 무산소수송배지에 넣어 검사실에 제출하는 것이 매우 중요하다.

9. 검체 부위를 표기할 때 "창상", "눈", "생식기"와 같은 모호한 용어는 검사실에 도움이 되지 않는다. 검체를 채취한 위치의 구체적인 해부학적 명칭을 사용해야 한다.

10. 미생물 검사실은 미국 미생물학회 (American Society for Microbiology)에서 발간한 **Practical Guidance for Clinical Microbiology** (구판 명칭 Cumitech)의 전체 지침과, 임상 미생물에 도움이 되는 2개 이상의 최신 지침을 보유하고 있어야 한다.

11. 미국 미생물학회 (21)와 미국 질병관리통제본부(CDC) (22)는 위장관염의 집단 발생 시에 검체를 채취하는 것에 대한 권고사항을 발표했다. 이 권고사항은 집단발생, 또는 그것이 의심된 상황과 관련 있는 세균, 바이러스, 기생충에 대한 검체 관리에 대한 내용을 포함한다. 의료기관과 검사실 직원들이 참조할 수 있는 세균성 위장관염 진단과 검사에 관한 더 최신의 지침도 있다 (21).

12. 미국 미생물학회와 미국 감염학회(IDSA)가 공동으로 발행한 최근 문서는 검체 종류보다는 감염의 해부학적 부위에 기반한 개념으로 검체 관리에 대해 다루고 있다 (23).

검체 이송

1. 모든 미생물의 배양 검체는 채취 후 최대한 신속하게, 가능하면 1–2시간 내에 처리해야 하며, 적합한 수송배지를 사용해야 한다. 요 검체의 처리가 지연되면 냉장 보관 하거나, 이송 전에 적합한 1차 배지에 접종하거나, 보존용액에 넣어서 이송해야 한다.

   많은 종류의 세균은 처리가 지연되거나 온도가 변하거나 습도가 감소하면 죽을 수 있다. 장기간 수송하는 경우에는 분리가 어려운 병원균 대신에 빠르게 성장하는 세균이 과증식할 수 있다.

   많은 요로 감염 원인균은 세대가 짧기 때문에 (많은 세균은 20–30분마다 두 배씩 증식할 수 있다), 검체 수령 후 30분 이내에 검체를 처리하지 않으면 소변 검체의 집락 개수는 부정확할 수 있다. 30분 이내에 배양하기 어려울 경우에는 검체를 냉장해야 한다. 개별 의료기관에서 외부 검사실로 검사를 의뢰할 경우에는 냉장 조건에서 수송하거나, 적합한 소변 보존제를 사용하는 것이 권장된다.

2. 수송 지연이 예상되거나 수탁 검사실로 세균 배양을 의뢰할 경우에는 **Stuart 수송배지**, **Amies 수송배지**, 또는 **Cary-Blair 수송배지**를 사용해야 한다. 건조한 면봉은 적합하지 않으나 A군 사슬알균은 건조한 면봉에서도 잘 생존하는 경향이 있다.

   수송배지는 세균이 생존을 유지할 수 있도록 만들어졌으나, 수송배지에서의 증식은 느리다. 그러나 일부 배양이 어려운 균종은 영양성분이 부족한 배지에서는 생존하지 못할 수 있으며, 반대로 일부 균종은 체액이 있는 경우 1시간 이내에 두

배로 증식할 수 있다.

바이러스 수송배지는 면봉으로 채취한 모든 바이러스 검체에 필요하다. 바이러스 검사를 위한 흡인액, 세척액, 조직, 체액은 멸균 용기에 제출할 수 있다.

택배 시스템으로 검체를 이송할 경우에는, 몇 가지 문제점을 해결해야 하는데 다음과 같은 것들이 있다: 검체 채취, 택배 집하, 검사실 도착 시점의 시간 간격; 택배 차량의 온도와 차량 내 온도 조절 수송 용기의 필요성; 택배 집하 빈도; 최종 집하 후 검사실에 검체가 도착한 것의 확인.

수송 조건은 임상 검체와 분리된 균주 검체에 따라 다를 수 있다.

3. **검체는 가능한 중앙의 접수 부서 또는 다른 부서를 거치지 않고 미생물 검사실로 직접 전달해야 한다.**

미생물 검사실에서 측정하는 것은 화합물, 효소, 인체 세포가 아니라 살아있으며 복제하는 미생물이며, 미생물은 우리가 아무리 바빠도 우리 편의를 보아 일정을 맞춰주지 않는다.

검체 처리: 일반

> 검체의 정확한 채취 부위를 밝혀주십시오. 바이러스 검사실에서 어려운 문제는 부적절하게 "도말"이라고만 표시된 도말 검체를 보내온다는 것입니다. 검체 출처에 따라서 어떤 배양 세포를 사용할지를 정한다는 것을 유념해 주십시오. 생식기 부위 도말 검체는 비인두도말 검체와는 아주 다르게 취급합니다.
>
> Karen Carroll, M.D.
> Johns Hopkins, Baltimore, MD

1. 검사 요청서와 검체 라벨이 정확하고 완전하게 준비되기 전에는 검체를 처리해서는 안 된다(그림 11). 이러한 항목은 환자가 투여받고 있는 항균제 정보, 환자의 잠정 진단명을 문자나 국제질병분류(ICD) 코드 형태로 제공해야 한다.

   요청서 내용을 채우거나, 명확하지 않은 내용이나 요청사항을 확인하기 위해 검사실에서는 의사의 지시를 기록하는 직원에게 연락해야 한다. 검체를 제출한 사람은 이러한 요청 정보가 검사실에서 검사 결과를 올바르게 해석하는 데 도움을 주는 용도로 사용한다는 점을 알아야 한다.

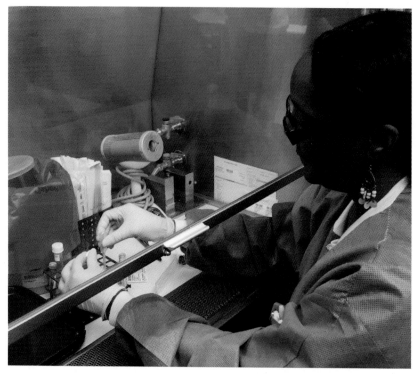

그림 11. Class 2 생물안전상자(BSC)는 검사실의 여러 부서에서 사용한다. 이 사진에서 BSC 는 검체를 개봉하고 접종하고 초기 조작을 수행하는데 필요한 장소이다. 진균검사실이나 바이러 스 검사실, 결핵 검사실에서도 BSC를 사용한다.

2. 검체를 수령했을 때 부적합한 용기나 수송배지에 들어 있거나, 장시간 지연되었으 면 처리하지 말아야 한다. 의사나 간호사에게 2차 검체를 쉽게 채취할 수 있는지 전화로 확인해야 한다.

  부정확하게 채취되거나 수송된 검체에서 얻은 중요하지 않거나, 부정확한 정보 는 주치의 판단을 오도할 수 있다.

  외래 환자의 상태나 채취 과정 상의 어려움을 고려해야 하며, 각 사례에 따른 적 합한 결정을 내려야 한다.

  최종 보고서에는 검체 상태가 부적합하여 검사결과가 부정확하거나 불완전할 수 있음을 명확히 알려야 한다.

3. 동일한 검체

검체 처리: 분자 검사

> 우리는 적합한 업무 절차에 따르지 않는 미생물 검사는 하지 않는다. 정확하게 하거나,
> 아예 안 하거나!
>
> James Snyder, Ph.D.
> University of Louisville, Louisville, KY

1. 현재 많은 감염병의 진단은 전통적인 배양법만 하기보다는 유전자 분석이나, 단백질 분석을 대신 사용하거나, 병행하고 있다. 일반적으로는 특정한 검사법이 아닌 미생물의 전반적인 완전함과 생존력을 유지하기 위한 목적으로 미생물 검체를 채취하고 수송한다.

   제출한 검체가 검사 결과에 큰 영향을 준다는 점에서 미생물 검사실의 분자 검사 역시 다른 검사와 마찬가지이다. 조직, 체액, 세척액, 흡인액은 언제나 우선되는 검체이지만, 면봉 검체는 면봉으로 의심되는 검체가 잘 채취되거나 (예: 수포 안에 있는 일부 바이러스, 자궁경부 원주 세포 내의 *Chlamydia*), 다른 어떤 방법으로 우선되는 검체를 채취하기 어려운 경우에만 채취한다. 흡입된 액체에 담궈놓은 면봉 검체는 접수하지 말고 실제 액체 검체를 요청해야 한다.

   분자 미생물 검사는 대부분 키트 기반으로 수행하며, 보통은 체외진단검사 용도로 FDA의 승인을 받은 상태이다. FDA 허가를 받은 검사법의 제조사는 승인된 검체 종류, 권장되는 검체 채취 방법, 수송 조건에 대한 세부 사항을 설명하는 설명서를 제공한다.

   제조사 지침을 준수해야 하며, 검사 키트에 검체 채취 기구가 포함되어 있으면 해당 기구로 채취해야 한다. FDA 승인 키트의 기구나 수송 시스템을 변경하려면 새로운 기구를 검사에 사용하기 전에 완벽히 검증해야 한다.

2. **핵산 증폭 검사와 PCR 검사는 적절하게 채취한 검체에서는 거의 전부 핵산을 검출할 수 있을 정도로 민감하다**(그림 12).

   설명서에 있는 제조사 권장사항을 준수해야 한다.

   검사실 자체 개발 분자 검사의 경우에는 분석법과 함께 채취 기구 및 수송 시스템의 성능을 종합적으로 검증해야 한다.

3. MALDI-TOF 질량분석기 검사는 통상 배양 과정에서 분리된 세균 균주의 동정 용도로 FDA의 승인을 받았으며, 널리 사용되고 있기 때문에, 특별한 검체 취급이 필요하지 않는다.

   MALDI-TOF 장비로 배양 균주가 아닌 검체로 직접 검사하려할 때, 그런 방법이 FDA 승인을 받지 않았으면 결과 보고 전에 검사 과정을 검증해야 한다.

4. FDA 승인을 받은 다종미생물 분자검사는 허가 받은 모든 검사, 예를 들어 혈액, 위장관, 호흡기 검체에 대해 제조사 지침을 제공한다. 검사실에서는 이러한 과정을 준수해야 하며, 검체나 채취 기구에 대해 승인된 범위를 벗어나서 사용할 경우에는 해당 과정을 검증해야 한다.

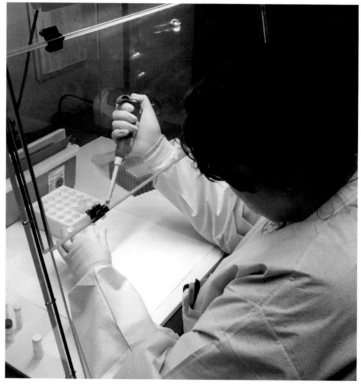

그림 12. 사진에서 보이는 공기 정체 상자 (dead air box, 역주: PCR workstation 등을 말한다) 같은 지정된 장소를 분자 검사의 시약을 준비하고 혼합하는 전용 공간으로 사용하는 것이 권장된다.

하부 호흡기 검체(Lower Respiratory Tract Specimens)

1. 하부 호흡기 검체는 다음과 같다(상대적으로 선호되는 순대로): 기관지폐포세척액
   (BAL), 기관지 찰과술(bronchial brushings), 기관지 세척액(bronchial washings),
   기관지 폐 생검(transbronchial lung biopsy specimens), 객담

   잘못 표기된 하부 호흡기 검체는 잘못된 결과가 보고되어 오진(misdiagnosis)와
   부적절한 치료로 이어질 수 있다.

   BAL과 기관지 세척액은 검사실에서 완전히 다르게 취급되므로, 잘못 표기된 경
   우에 배양 판독에 영향을 줄 수 있다.

   상기 검체에는 호흡기 정상 상재균이 같이 배양되기 때문에, 우수한 검사실 지
   침(good laboratory practice)에 따라 정상 상재균이 있으나 추가검사 하지 않았음
   을 명시할 것이다. 통상적으로 호흡기 병원체로서 관심을 가져야 할 균들은 다음과
   같다: Streptococcus pneumoniae, Staphylococcus aureus, Pseudomonas
   aeruginosa, Enterobacteriaceae, Haemophilus sp., Moraxella catarrhalis,
   Neisseria meningitidis. 명확하게, 특별한 요청 사항은 고려될 것이다.

2. BAL 검체는 정량 검사할 수 있는 유일한 호흡기 검체이나 인력과 비용이 많이 요
   구된다.

   BAL 술기를 통해 기관지 내시경이 닿을 수 없는 기도(a subsegmental bronchus:
   lingular)로부터 세포를 세척해내는데, 성인에서는 20 mL의 검체량(소아에서는 더
   적다)을 얻기 위해 100 mL의 비정균성 식염수를 사용해야 한다. 이런 과정을 거친
   검체만이 BAL이라고 말할 수 있다.

   검사실은 균에 상관없이 2개까지의 산소성 세균에 대해 동정 및 감수성을 시행
   해서 보고해야 한다. 만약 3개 이상의 균이 배양되면(만약 1개 균주가 명백한 병원
   체가 아니라면), 해석이 잘못될 수 있으므로, 명확한 판독을 제시하기보다는 서술
   적(descriptive)으로 보고될 것이다.

3. 기관지 세척액은 폐렴 원인균 진단에 좋은 검체가 아니며, 이 목적으로 검사 의뢰
   하는 것은 권장되지 않는다

   기관지 세척액을 채취하기 위해서는, 기관지 내시경을 구역 기관지(segmental
   bronchus)에 넣고, 10 mL 밖에 안되는 비정균성 식염수를 넣은 뒤 흡인한다.

기관지 세척액을 *BAL*로 잘못 표기하면 안된다. 기관지 세척액으로 기록되어야 하며, 정량 배양에 사용되면 안 된다.

균에 상관없이 2개까지의 산소성 세균에 대해 동정 및 감수성을 시행해서 보고할 수 있다. 3개 이상의 세균에 대해서는 "혼재된 호흡기 세균으로 우세하게 자란 병원체가 없음(*Mixed respiratory flora. No predominant pathogen present*)"과 같은 코멘트와 함께 보고한다.

4. 모든 정규 객담 검체는 직접 그람염색을 시행하여 하부 호흡기 분비물을 얼마나 잘 반영하는지 평가해야 한다. 객담의 질을 평가하는 시스템을 사용해야 한다.

하부 호흡기를 반영하기보다 구인두(타액)의 오염이 반영된 검체는 의미없는 결과를 보인다.

하부 호흡기가 제대로 반영되지 못한 객담으로부터 얻은, 병원체 가능성이 있는 세균의 보고는 폐렴이 있는 환자 등에서 혼란을 초래할 수 있다.

5. 기관지 내시경 후 검체를 제외하고, 24시간 이내에는 객담은 1번만 검사를 의뢰한다. 만약 한 개 이상의 검체가 연속으로 접수된다면, 아침 첫 검체 또는 현미경적으로 오염이 안된 사실을 확인한 검체만 골라서 검사를 진행한다.

호흡기 분비물을 반영하는 검체는 24시간 내 1개의 객담으로도 충분하다.

기관지 내시경 후 검체는 일반적으로 깊은 기침 후 얻을 수 있는 검체 중 가장 좋다.

6. 2 mL 이하의 객담은 명확한 농이 포함되어 있지 않다면 검사를 진행하면 안 된다.

소량의 맑고, 끈적이지 않는(때론 기포가 있는) 검체는 일반적으로 타액이다.

레지오넬라증(*legionellosis*)을 제외하고, 대부분의 호흡기 세균 감염은 많은 양의 객담을 뱉을 수 있다.

7. 객담 검체는 소아 환자에서는 획득하기 어렵다.

소아 환자에서 호흡기 감염은 흔하다. 호흡기의 기본적인 해부학적 이해와 상재균의 이해는 배양 결과를 해석하고 임상적으로 유용한 정보를 의사에게 제공하는 데 도움이 된다. 예를 들어 충분한 비인두 검체를 통해 섬모원주상피세포(*ciliated columnar epithelial cell*)가 포함된 검체를 얻을 수 있다.

기도를 통해 얻은 검체는 구강 내 상재균에 의해 흔하게 오염되어, 하부 기도 감염과 관련된 진짜 병원체의 동정을 어렵게 만들 수 있다.

또한 어린이들은 nontypeable *H. influenzae*나 *Streptococcus pneumoniae*, *Neisseria meningitidis*가 일시적으로 집락화(colonization)하기도 하여, 이러한 배양균들이 동정된 경우 해석에 주의해야 한다

> 소아 미생물학에서는 어린이들은 성인의 미니어쳐가 아니다!
> (In pediatric microbiology, children are not miniature adults!)
> J. Michael Miller, Ph.D., (D)ABMM
> Microbiology Technical Services, LLC, Dunwoody, GA

8. 기관 흡인액은 배양의 적절성이 그람염색과 함께 평가되어야 한다(24).

그람 염색에서 미생물이 관찰되지 않거나, 저배율에서 10개가 넘는 편평 상피세포(squamous epithelial cells)가 관찰되는 경우, 기관 흡인액은 배양에 부적합한 검체로 거절할 수 있다.

소변 검체

1. 집락 계수는 모든 청결채취 요 검체에 대해 일상적으로 수행한다. 정확한 배양 해석을 위해 검사요청서에 환자에게 요로 감염 증상이 있는지 표시해야 한다.

일반적으로 무증상환자에서 최소 100,000 CFU/ml인 경우 요로감염 가능성이 있다고 본다. 증상이 있는 환자의 경우에는 10,000개나 그 이하로 계수될 수도 있다. 낮은 계수 값을 보이는 요 검체의 중요성은 백혈구의 존재를 확인함으로써 확보할 수 있다.

소아의 경우, 10,000－50,000 CFU/ml 수준의 계수가 일반적으로 유의미하다고 간주된다. 소아에서 청결채취가 어려운 경우에는 치골상 방광 흡인, 일시적 카테터 또는 30분 미만으로 소변 백을 사용해 보는 것 등을 대안으로 적용할 수 있다.

2. 정규 청결채취 요의 분석에는 무산소 배양을 포함하지 않는다.

요로 감염은 무산소 균에 의해 발생하는 경우가 드물다. 무산소 균 감염이 의심된다면 치골 상부 방광 흡인을 시행하도록 한다.

3. Foley 카테터 말단부는 배양에 부적합하다.

    요도 말단부 상재균에 오염되지 않고, 카테터를 제거하는 것은 불가능하다.

4. 소변백에서 채취한 소변 검체는 배양용으로 부적합하다. 카테터에서 검체를 채취할 경우, 채취 포트를 적절히 소독한 후 바늘과 주사기를 이용해 채취하도록 한다.

    소변백에 정체된 소변은 세균의 과번식된 상태이므로 배양 결과 해석에 오류를 초래할 수 있다.

    배양이 까다로운 세균도 더 빨리 성장하는 대장균체들과 함께 과성장할 수 있다.

    바늘이 필요없는 검체채취 포트도 상용화되어 좀 더 안전하게 요채취가 가능하게 되었다.

창상 검체

많은 미생물 검사실들이 겪는 실제적인 문제는 임상의사들이 무균 상태가 아닌 부위에서 채취한 검체로 자라는 것은 뭐든지 검사해달라고 하는 부적절한 검사 의뢰를 하는 것이다

MARK LAROCCO, Ph.D., (D)ABMM
M.T.I. Consulting, Erie, PA

1. 창상 검체를 창상 표면에서 채취했는지, 아니면 창상 심부에서 채취했는지 확인하기 위해서는 직접 그람 염색을 해서 중성구와 편평상피세포 개수의 비율을 확인한다(2).

    임상적으로 감염된 창상은 거의 대부분 화농성 반응을 보이며, 그람 염색에서 많은 다형핵백혈구를 관찰할 수 있다.

    상피세포가 보이면 이는 검체를 표면에서 채취했거나 창상 변연부 피부에서의 오염을 나타낸다. 검사실은 상피세포가 포함된 창상(면봉) 검체를 무산소성 배양하는 것을 권장하지 않을 수 있다. 창상 검체의 그람염색에 대한 공인된 점수 체계는 검체 상태와 다음 분석 단계를 결정하는데 매우 도움이 된다(25).

2. 무산소성 배양은 창상 표면 검체나 적절한 무산소성 운반용기로 접수되지 않은 검체에 대해서 일반적으로 시행해서는 안 된다.

임상 의사들은 무산소성 배양을 의뢰할 때 임상적 판단을 해야 한다. 이런 특수한 배양의 준비에는 비용이 많이 들고, 상당한 기술적 전문성이 요구된다.

창상에서 가스 생성이나 악취가 있거나, 다량의 고름이 나오면 임상적으로 무산소성 창상 감염에 해당된다.

3. 욕창의 원인이 되는 세균의 진단은 매우 어렵다. 면봉 검체로 검사하는 것은 권장하지 않는다.

조직 생검이 이상적인 검체이다.

욕창에서 채취한 면봉 검체로는 표피 상재균이 나올 가능성이 높고, 실제 감염 원인균을 검출하지 못할 수 있다.

세침 흡입 검체로는 세균 분리주가 과소 평가될 가능성이 있으나 창상 심부 생검 검체로는 좀 더 정확한 판단을 할 수 있다.

4. "창상"이라는 단어를 단독으로 사용하는 것은 보통 부적절하며 항상 검체가 채취된 정확한 해부학적 위치의 명칭과 같이 사용되어야 한다.

5. 병변이 진행되는 변연부에서 채취하는 검체를 검사하는 것이 이상적이며, 병변 내의 고름 등의 물질을 검사해서는 안 된다.

표면 창상은 표재성 상재균이 오염되어 정확한 진단이 어렵고, 특히 창상을 덮은 고름이나 가피를 채취한 면봉 검체만 접수될 때 그렇다.

병변이 진행되는 변연부에서의 검체 채취에 앞서 무균 상태의 물이나 정균 작용이 없는 식염수로 적신 스폰지로 표면 창상에서 가피를 제거할 수 있다.

재오염을 방지하기 위해, 창상 표면을 매번 닦아낼 때마다 새로운 스폰지를 사용해야 한다.

고름을 채취한 면봉을 접수할 때는 진행성의 변연부에서 검체를 채취한 면봉도 같이 접수해야 한다.

척수액 검체(Spinal fluid specimens)

1. 배양을 위해 접수되는 모든 척수액은 원침해서 침전물을 직접 그람 염색하여 검사해야 한다. 모든 양성 혹은 음성 결과는 임상 의사에게 즉시 유선으로 보고되어야 한다.

   수막염의 일부 사례에서는 즉각적인 결과가 환자의 생존에 직결되는 정보일 수 있다. "세균 검출 안됨" 정도의 보고라도 임상적 사례 판단에 중요한 정보이다.

   척수액의 단순 염색(메틸렌 블루 혹은 크리스탈 바이올렛) 혹은 아크리딘 오렌지 염색 또한 세균의 유무에 대한 빠른 정보를 줄 수 있다.

2. 검체 처리가 지연될 때는 척수액을 배양 배지에 접종할 때까지 35℃ 배양기에 놔두어야 한다. 척수액을 절대 냉장고에 넣어서는 안 된다.

   척수액은 소변과 같이 좋은 배양 배지이다. 대부분의 경우는 단일 균종에 의해 감염이 되기 때문에 오염균의 과성장은 크게 신경 쓰지 않아도 된다.

   수막염을 일으키는 일부 균종은 낮은 온도에 민감하기 때문에 냉장 온도에서 사멸할 수 있다.

3. 척수액에 대한 직접 항원검사는 부정확한 결과를 줄 수도 있기 때문에 권장되지 않는다. 이런 항원 검출법은 특정한 환자군에서의 위양성 혹은 위음성에 대한 정보를 주의 깊게 살펴볼 필요가 있다.

   척수액 그람 염색이 양성이 아닐 때는 직접 항원검사도 거의 양성이 아니다. 오히려 유병률이 낮은 인구에서 직접 항원검사는 위양성 결과가 나올 수 있기 때문에 잘못된 진단과 부적절한 치료를 유도할 수 있다.

인후와 비인두 검체(Throat and Nasopharyngeal Specimens)

1. 일상적인 인후 검체는 베타-용혈 연쇄상구균(beta-hemolytic streptococci)의 획득을 위해서만 검사가 의뢰되어야 한다. 후유증을 남길 수 있는 *Streptococcus pyogenes*가 주요 관심사이지만, 그룹 C 또는 G 베타-용혈 연쇄상구균도 증상이 있는 환자로부터 분리될 수 있다. 추가적으로 일부 환자군에서는 *Arcanobacterium*(그람 양성 간균)과 *Fusobacterium necrophorum*(무산소균)도 중요하다.

베타용혈 연쇄상구균을 제외한 미생물들은 일반적으로 일차성 급성 인두염 (*primary acute pharyngitis*)을 흔하게 유발하지는 않는다. 포도상구균(*Staphylococci*)은 편도 농양(*tonsillar abscess*)을 일으킬 수 있다. *H. influenzae*는 수축성 후두개염(*constrictive epiglottitis*)을 유발하고, *Corynebacterium diphtheriae* 는 막성 인두염(*membranous pharyngitis*)을 유발한다.

만약 *Neisseria gonorrhoeae* 또는 다른 비-베타용혈 연쇄상구균이 의심된다면 검사실에 의심된다고 알려야 한다.

그룹 A 연쇄상구균(*group A streptococci*)의 항원을 검출하는 직접 검사법 (*direct method*)은 검체 채취가 부적절하거나, 미생물의 수가 적은 경우 민감도가 낮다. 항원검사 음성인 경우에, 성인 환자에서는 필요하지 않을 수 있지만, 소아 환자는 배양이나 DNA 더듬자(*probe*) 검사가 필요하다 (23).

2. 정규 인두 배양으로부터 *H. influenzae*를 배양을 하는 것은 각 병원 또는 검사실의 권한이지만, 설령 소아 환자라 할지라도 배양을 권장하지 않는다. 건강한 성인과 소아들도 구인두에 높은 빈도로 *Haemophilus* spp.를 보유하고 있다.

만약 *Haemophilus spp.*가 의심되는 경우, 주치의는 검사실에 알려야 한다.

후두개염은 혈액배양으로 확진되며, 인두 배양을 사용하면 안 된다. 면봉 사용 시 발적이 있는 후두개를 자극하여 후두개의 수축을 유발할 수 있다. 소아에서 결합 *Haemophilus* 백신(*conjugated Haemophilus vaccines*) 접종이 일반화되어 있어, 요즘은 *H. influenzae*에 의한 후두개염이나 뇌수막염은 드물다.

3. 환자가 페니실린-알러지가 있는 경우를 제외하고, 인두 배양으로부터 분리된 세균에 대해 항균제 감수성 검사를 시행하면 안 된다.

베타용혈 연쇄상구균(특히, 그룹 A 연쇄상구균)은 일반적으로 페니실린에 감수성이다.

특정 합병증이 없는 급성 인두염에서는 다른 미생물을 병원체로 고려하지 않는다. 다른 원인에 의한 세균성 인두염으로 치료 여부 결정은 의사가 해야하나, 그러한 감염을 치료하는데 다양한 치료제가 있으므로 일반적으로 감수성 검사가 필요하지는 않다.

4. 인두 배양에서 분리된 대장균 모양의 간균(coliform bacilli)은 일반적으로 보고되

지 않는다.

대장균 모양 간균은 일반적으로 인두염을 유발하지 않으면서 인두에 집락화하고, 하부 호흡기 감염의 원인을 제공하는 역할을 하기도 한다.

입원 환자에서는 병원에서 사용하는 다양한 항균제에 내성을 보이는 대장균 모양 간균이 집락화하는 경향이 있다.

감염관리 목적이거나 의료인의 요청을 제외하고는 감수성 검사는 시행하면 안 된다.

5. 부비동염은 배양 검체 의뢰 없이 임상적으로 진단할 수 있다. 배양을 위해 적절한 검체는 면봉이 아닌, 감염된 부비동염으로부터 바늘을 이용하여 채취한 흡인액이다.

부비동의 미생물은 잘 알려져 있으며, 경험적 항균제 치료가 치료의 표준이다.

인두, 비강 분비물(nasal drainage), 통상적으로 시행하는 비인두 배양 등으로부터의 결과는 부비동 감염의 진짜 병원체와 상관성이 별로 없다. 그래서 부비동으로부터 바늘을 이용해서 채취하는 것이 검체 채취의 표준이다.

6. 직접 항원 검사를 위한 인두 검체 채취 시 배양을 위한 검체 채취처럼 주의해서 검체를 채취해야 한다.

그룹 A 연쇄상구균의 모든 직접 항원 검사는 검출능이 제한적이다. 검사 결과가 음성인 경우 배양을 시행해야 한다. 검체 채취과정이 잘못되면, 검체에 그룹 A 연쇄상구균의 숫자가 적을 수 있어서 직접 항원 검사에서 약양성 또는 음성 결과가 나올 수 있다.

질과 자궁내막 검체(Vaginal and Endometrial Specimens)

임상 미생물 검사에 분자적 기법을 많이 적용할수록 임상의사와 검사실 의사들은 프로브를 쓸 때와 증폭을 할 때, 그리고 배양을 할 때에 대해서 배워 나갈 필요가 있다.

LISA L. STEED, Ph.D.
Medical University of South Carolina,
Charleston, SC

1. 일반적으로 질 검체 배양은 유용성이 낮기 때문에 검사실은 이를 권장해서는 안 된다. N. gonorrhoeae 배양을 위한 검체는 자궁 경부에서 직접 채취해야 한다. 무산소성 배양은 질 주변부 농양에서 주사기와 바늘로 흡인한 고름에 대해서만 예외적으로 시행할 수 있다. 트리코모나스증, 캔디다증, 세균성 질염 같은 다른 감염이나 증후군들은 직접 표본, 그람 염색 도말, PCR 등의 검사로 진단할 수 있다.

   정상 질 내 균무리는 다양한 산소성, 무산소성 균종들을 포함한다. 질 면봉 검체의 무산소성 배양은 정상적인 배경의 균무리 때문에 해석이 불가하다(그림 13).

   N. gonorrhoeae 검출을 위해 질 분비물을 직접 그람 염색하면 N. gonorrhoeae 와 형태적으로 유사한 다양한 상재균들 때문에 잘못된 진단을 유도할 수 있다.

   임상 의사들이 세균성 질염을 진단하기 위해 질 면봉 검체 배양을 의뢰하는 것은 권장될 수 없다. 그람염색 평가는 정상균 무리의 변화를 기술하기 위해 사용되어야 하며, 이에 대해서는 Cumitech 17A에서 논한다(26).

2. 자궁내막 검체는 보호막 흡입 소파기(protected suction curette)로 채취해야 하고, 무산소성 운반 용기를 사용해야 한다. 해당 검체는 항상 산소성과 무산소성 균 모두에 대해서 검사해야 한다.

   자궁 내 공간의 환경은 비교적 무산소성이기 때문에 무산소균 감염이 드물지 않다.

   출산 후 감염의 경우, group B streptoocci와 Listeria monocytogenes 같은 균종들을 배양해야 한다. 검체 채취는 이중 도관(double-lumen catheter)을 사용해야 한다.

3. 사춘기 전 소녀의 질 검체(26)는 생리 전의 외음부질염이나 성매개 감염증의 원인 균종을 확인하기 위해서 배양해볼 수 있다.

   여러 요소들이 소녀에서 외음부질염의 발생에 영향을 준다: (i) 미성숙한 질의 해부학적 차이; (ii) 중성의 산도로 인한 세균의 과성장; (iii) 위생 유지가 되지 않아 질과 요로 부위가 변에 오염.

   사춘기 전 소녀에서 대부분의 성매개 감염병은 자궁경부염 보다는 질염을 유발한다. 분비물이 있을 때는 채취해서 세균 배양을 의뢰할 수 있다.

   분비물이 적은 소아의 경우는 질 내 검체가 필요하다. Gonorrhea, Chlamydia 혹은 일반적인 질 배양은 검사실 검사 지침에 따라 진행된다. Gonococci나 chla-

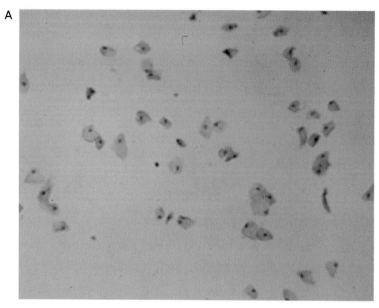

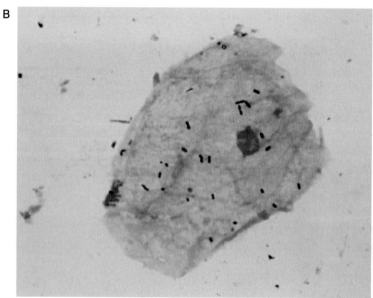

그림 13. 질 면봉 검체는 대부분 많은 양의 정상 균무리를 포함하고 있다. (A) 저배율에서 먼저 보이는 많은 양의 상피세포; (B) 오일 침전 배율에서의 소견. 해석이 어렵다.

*mydiae*에 대한 신속 항원 검사나 면역형광검사법은 사춘기 전 소아에서 채취한 검체에 사용할 수 없다.

소포(vesicle)가 있으면 *Herpes simplex* 바이러스 배양을 위해 검체 채취를 해야 한다.

기타 검체들

1. 눈 검체를 배양할 때는 고영양(enriched) 초콜렛 배지를 사용해서 영양요구도가 까다로운 *Haemophilus* spp., *Neisseria* spp., 혹은 느리게 자라는 그람음성 막대균을 검출할 수 있어야 한다. 배양 시작할 때에 직접 그람 염색을 항상 시행해야 한다.

   영양요구도가 까다로운 세균이 종종 눈에 감염되며 고영양 배양 배지를 사용하지 않으면 놓칠 수 있다.

   Pseudomonas spp.와 형태적으로 유사한 그람음성 막대균이 있으면 빠르게 실명을 유발하는 안구염을 일으킬 수 있기 때문에 임상 의사에게 즉시 알려야 한다.

2. 진균 배양이 아닌 세균이나 바이러스 배양을 위한 조직 생검 검체는 시료균질기(stomacher)로 균질화하거나 소독한 유발과 유봉(mortar and pescle)으로 저미고 갈은 후에만 배양을 진행한다.

   무산소성 배양은 임상 의사가 요청하거나 가스나 악취가 날 때는 시행해야 한다. 무산소성 배양은 검체가 대기에 노출되지 않게 보호된 용기를 사용한 조직에 대해서만 시행할 수 있다. 단, 조직이 큰 경우는 단백질이 환원하는 성질 때문에 비교적 무산소성 조건이 유지될 수 있다.

   조직을 찍은 도말과 그 조직을 갈아서 만든 용출액의 직접 그람 염색을 시행해야 하고 모든 양성 소견은 즉시 임상 의사에게 보고해야 한다. *Clostridium perfingens*는 그람 염색으로 즉시 검출될 수 있다. 그 외에 *staphylococci*와 *streptococci* 같은 균종도 특징적인 형태를 가진다.

   진균의 균사는 균질화 중에 부서질 수 있다. 그래서 조직 일부를 진균 배양을 위한 배지에 접종해야 한다.

3. 일반적으로 위장 검체는 균혈증 환아나 장관 상부에서 폐쇄가 있는 성인 외에는

의미 있는 배양 결과를 얻을 수 없다. 위액에서의 세균 집락 계수는 그 가치를 알 수 없고 권장할 수 없다.

무산소성 세균은 정상 위액에 존재할 수 있으므로 배양 결과의 해석이 어려울 수 있다.

위액에 많은 수의 세균이 있으면 보통 장관 폐색이 있는 환자에서 십이지장액의 역류로 인해 산도가 염기성으로 변한 것을 의미한다.

*Mycobacteria*의 특정 균종의 분리는 의미가 있을 수 있다. *Mycobacteria* 검사를 위한 위흡인액은 배양하기 전에 중성화해야 한다.

검체와 관련해서 어려운 문제가 있을 때는 감염 관련 전문가에게 주저 없이 자문을 요청하거나 권장해야 한다.

3장
검체 채취 및 처리

이 섹션은 두 가지 용도로 사용된다.
1. 미생물학적 분석을 위한 임상 검체의 선택, 채취 및 운송에 대한 세부 사항에서 의료진 지원
2. 검사실 업무 지침의 검체 관리 부분을 작성하는 데 참고가 되는 모델 제시

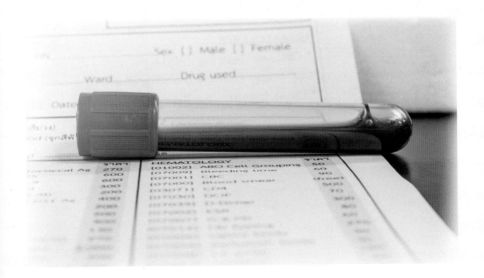

옛날에 피터라는 외과의사가 있었습니다.

3리터의 농을 배농했는데, 면봉 하나를 보내면서 "그 있잖아…(Thing-a-ma-bob)" 라고 적었죠.

5개의 배양과 6개의 염색, 그리고 역가 검사 2가지를 보냈다네요.

(힌트: 적절한 양과 채취 부위의 기록은 배양을 옳게 만든다.)

Jill E. Clarridge III, Ph.D., ABMM
Seattle, Washington

체액 검체

■ 복부-복막 액(천자술, 복수)

A. 선정(Selection)
1. 복막강에서 선택한 검체를 흡인한다.
2. 환자는 일반적으로 복부 팽만, 체중 증가 및 소변량 감소를 동반한다.

B. 채취(Collection)
1. 재료(Materials)(일회용 키트 사용 가능)
   a. 뚫개(Trocar), 삽관(Cannula) 또는 투석 카테터, 긴 바늘
   b. 메스
   c. 피부 소독제
   d. 국소 마취제
   e. 멸균 검체 용기
   f. 봉합 세트
2. 방법(Method)
   a. 천자 또는 절개를 위해 피부의 절개 부위를 소독한다. 환자는 앉아있어야 한다.
   b. 시술의는 배꼽 정중앙에서 3–5 cm 하방의 피부를 뚫고 투석 카테터를 pouch of Douglas에 삽입한다. 초음파 유도 하에 시행할 수 있다.
   c. 혈액이나 장 내용물이 흡인되면 개복술을 시행한다. 개복술이 어려운 경우, 1리터의 식염수 또는 평형염액으로 세척한다.
   d. 정상적으로 배액되면 체액은 매우 진하고 천천히 흐른다. 수백 ml까지 배액될 수 있다.

C. 검체 정보 표기(Labeling)
1. 환자 정보를 검체에 표시한다.
2. 채취 시간과 모든 진단 정보를 포함한다.

D. 수송(Transport)
1. 검체는 냉장하지 않는다.
2. 검체는 검사실로 바로 운송한다.

E. 기타 추가설명(Comment): 표 10 참조.
소아의 경우: 성인과 동일.

표 10. 무균 체액의 검체 관리[a]

체액	채취 용기	농축	염색	기타 사항[b]
양수	Anaerobe 관	아니	그람 염색	
골반자궁오목천자액	Anaerobe 관	아니	그람 염색	
투석 폐수	혈리기 또는 멸균 용기 또는 소변 컵 또는 두 개의 혈액 배양병	원심 분리기 또는 필터	그람 염색 또는 아 크리민 오렌지 염색	염색에 의한 낮은 검출률 <100 WBCs / ml는 정상이다. 세 배지 각각에 1/3의 필터를 사용한다.
복막(복수)	혈액 배양병 2개와 무산소성 세균 용기에 각각 10ml 씩	용기에서 세포 원심 분리기	세포 원심 분리기의 그람 염색	<300 WBCs / ml는 정상이다.
흉막(삼출, 여출, 흉강 천자, 농흉)	무산소 용기	용기에서 세포 원심 분리기	세포 원심 분리기의 그람 염색	공팡이에는> 5ml가 필요한다. WBC가 없거나 일부 WBC가 정상이다.
활액	혈액 배양병 + 무산소 용기	용기에서 세포 원심 분리기	세포 원심 분리기의 그람 염색	농흉에는 많은 배혈구가 있다.

[a]참조 41에서 적응.
[b]WBC, 백혈구. 세포 원심 분리기 처리된 침전물은 배양하거나 염색 할 수 있다.

■ 혈액 검체(Blood Specimens)

혈액 배양에 대한 새로운 정보가 계속 나오고 있으므로, 종종 문헌을 고찰하는 것을 권장한다.

> 만약 의과대학 학생에게 1가지만 말해야 한다면, '혈액 배양'을 위해서는 언제든 2쌍의 별도로 채혈된 혈액 배양을 의뢰해야 한다는 것이다.
>
> Paul Southern, Ph.D., ABMM
> University of Texas Southwestern Medical Center, Dallas, TX

A. 선정(Selection) (표준 주의를 준수하라)

　1. 프로토콜을 선정하기 위해서는 표 11을 확인한다.

　2. 검체 채취 방법과 채혈량은 성공적인 병원체의 획득과 결과 해석에 직접적인 영향을 미친다. 이 술기를 독자 개별 기관의 프로토콜에 맞추어 변경하여 반영하라. Cumitech 1C 참조 (27).

　3. 배양 결과에 직접적으로 영향을 끼치는 요인들:

　　a. 채혈량: 아마도 제일 중요한 요인임

　　b. 피부 소독의 방법: 매우 중요

　　　채혈 시기와 특정 시간 간격을 둔 채혈의 숫자는 과거에 생각했던 것만큼 중요하지 않으나, 특정 임상 상황에서는 중요할 수 있다.

　4. 말초나 유지 중심 정맥 카테터(indwelling central venous catheter)로부터 채혈하는 것은 상재균(commendsal flora)의 오염으로 잘못된 잘못된 결과가 초래될 수 있다. 카테터로부터 채혈된 배양 결과는 정맥으로부터 채혈된 결과와 함께 해석되어야 한다. 아래의 소아에서 필요한 내용에 대해 기술한 코멘트를 확인 요망.

B. 채취(Collection)

　1. 재료(Materials)

　　a. 무균 장갑(sterile gloves)

　　b. 알코올과 요오드 팅크(tincture of iodine)

　　c. 양쪽이 바늘로 되어 있는 바늘을 포함한 채혈 세트(double-needle collection set)

표 11. 혈액검체 채취를 위한 상태와 지침
(Conditions and protocols for collecting blood specimens)

임상 상태	지침	코멘트
성인 및 청소년 중증 패혈증, 뇌수막염, 골수염, 관절염, 폐렴	치료 전 2쌍	각 팔에서 한번에 10 또는 20 ml 의 채혈
아급성 세균성 심내막염	24시간 이내 3쌍	24시간 동안 간격을 두고 채혈 열이 날 때 2쌍을 채혈 만약 처음 채혈한 두쌍의 결과 가 음성일 경우 다음 24시간 동안 3쌍을 더 채혈
급성 세균성 심내막염	치료 전 1–2시간 이내에 3쌍	
낮은 수준의 혈관 내 감염	24시간 이내 3쌍	적어도 1시간 이상의 간격으로 채혈 열나는 첫 번째 증상때 2쌍 채취
원인 불명의 균혈증 (치료 중인 환자)	48시간 동안 4–6쌍	항균제 투여 직전에 채취
어린 소아	1 또는 2 ml의 채혈	일반적으로 신생아에서는 2쌍의 배양이면 균혈증 진단에 충분

　　d. 산소성 및 무산소성 혈액배양 용기. 소아용 혈액배양은 소아용 용기가 가능
　　　하면 소아용 혈액배양 용기(코멘트 참조).

　　e. 지혈대(tourniquet)

　2. 방법(Method)

　　a. 각 혈액배양병의 바깥쪽의 봉인을 제거하고, 고무로 된 윗면을 알코올로 무
　　　균적으로 잘 문질러서 준비한다. 알코올이 건조되기를 기다린다.

　　b. 지혈겸자(hemostat)로 튜브의 한쪽을 막고, 한쪽 바늘을 산소성 혈액배양병
　　　에 꽂는다.

　　c. 채혈을 위한 피부 준비(Prepare the skin for venipuncture)

　　　i. 채혈 부위를 선정하기 위해 정맥을 만져서 확인한다. 클로로헥시딘
　　　　(chlorhexidine)과 같은 제품화된 소독제로 피부를 소독하거나, 아래의

ii와 iii를 따른다.

ii. 알코올로 채혈 부위 중심으로부터 바깥쪽으로 동심원을 그리면서 문지른다.

iii. 같은 방식으로 요오드포(iodophor)로 문지른 뒤, 30초에서 1분 정도 기다린다.

iv. 선택사항: 남아있는 요오드를 다른 알코올 솜으로 제거할 수 있다.

성인

v. 정맥을 촉지하지 않고, 반대쪽 바늘로 정맥 채혈을 시행한다.

vi. 지혈겸자를 풀어서 혈액이 혈액배양병으로 흘러들어가게 한다(50 ml 혈액배양병에는 5 ml, 100 ml 혈액배양병에는 10 ml). 혈액배양 제조사의 지침은 다를 수 있다. 제조사의 지침을 따르되 각 혈액배양병에 적정 용량이 들어가는지 항상 확인한다.

vii. 지혈겸자로 튜브를 다시 막고, 바늘을 산소성 용기에서 무산소성 용기로 옮긴다. 두 번째 용기에 접종 전에 바늘을 바꾸는 것은 오염의 위험이 증가한다.

viii. 지혈 겸자를 제거하고, 혈액이 무산소성 혈액배양병에 흘러들어가도록 한다.

ix. 지혈 겸자로 다시 막는다.

x. 환자 팔로부터 바늘을 제거하고, 거즈로 환자의 팔을 압박한다. 환자에게 거즈를 2–3분간 꽉 누르도록 요청한다.

xi. 무산소배양으로부터 바늘을 제거하고, 채혈에 사용한 도구들을 폐기한다. 바늘에 다시 뚜껑을 씌우지 않는다.

xii. 배양병에 정보를 정확하게 표기한다.

소아

xiii. 0.5–2 ml 정도의 혈액을 바늘과 주사기를 이용하여 채혈한 뒤, 위에 기술된대로 각 배양병에 넣는다.

xiv. 혈액배양 겉에 묻은 혈액은 닦아낸다.

C. 검체 정보 표기(Labeling)

1. 환자 정보를 검체에 표기한다.

2. 채혈 시간과 장소(예; 왼쪽 팔) 등을 기록한다.

3. 환자가 항균제 치료를 받는 중인지 아닌지 기록한다.

4. 의심되는 진단명을 같이 적는다.

D. 수송(Transport)

1. 검체를 냉장하면 안 된다. 실온 또는 35°C에 보관한다.

2. 검체를 검사실로 빨리 보낸다. 보관 및 수송 중에도 미생물은 계속 살아있어 대사작용을 하므로, 채혈 이후에 최대한 빨리 혈액배양기에 넣어야 한다.

E. 기타 추가설명(Comment)

최근 데이터에서는 무산소배양병이 정확하고 임상적으로 유의한 결과를 얻는 데 필요하지 않을 수 있다는 내용이 제시되기도 한다. 배양을 위한 혈액 채취량을 증가시키기 위해 두 개의 산소성 배양을 사용하는 것이 더 의미가 있을 수도 있다. 총 20-30 ml의 혈액이 적정하다. 추가적으로 무산소배양으로부터 얻는 정보보다 진균(효모균)을 위한 분리방법 또는 배양병으로부터 얻는 정보가 더 유용할 수 있다.

1. 이상적으로는, 발열의 정점(fever spike)을 예상할 수 있다면, 정점 또는 발열시점으로부터 1시간 전에 채혈해라.

2. 항균제 투여 전에 채혈한다.

3. 만약 가능하다면, 동시에 2쌍을 채취한다. 한쌍은 오른팔에서, 한쌍은 왼쪽에서 채혈한다. 채혈량이 채혈 시점보다 더 중요하다.

4. 24시간마다 총 3쌍의 혈액배양은 균혈증이나 심내막염을 배제하기에 충분하다. 적어도 10 ml의 혈액을 채혈하여 각 혈액배양병마다 나눠서 분주해야 한다. 더 많이 채혈하여 넣을수록 결과를 얻을 확률이 올라간다.

5. 혈액배양을 위한 혈액은, 정맥으로부터 채혈이 불가능한 경우를 제외하고 유지정맥 카테터나 동맥안 카테터로부터 채혈해서는 안 된다. 문제는 혈액이 아니고, 카테터로부터 초래되는 오염이다. 가능하다면, 정맥주사를 유지하고 있는 혈관보다 아래쪽에서 채혈을 시행한다.

6. 뼈 조직(Bone specimens)

   a. 뼈 조각을 액체 배지에 넣는다.

   b. 가능한 빨리 조직을 이송한다.

   c. 각 조직은 채취한 부위의 도말을 같이 의뢰해야 한다. 이렇게 해야 정확한

판독이 가능하다.

    d. 환자 임상정보가 중요하다.

7. 골수(Bone marrow)

    a. 혈액배양 용기에 접종한다(또는 검체량이 적다면 배지에 접종한다). 검사실에 연락한다(용해 원심분리법(lysis centrifugation method)이 나을 수 있다).

    b. 무균적으로 채취해야 한다.

    c. 의뢰서에 꼭 의심하고 있는 진단명을 기록한다.

8. 유지 중심 정맥 카테터: 소독 후 연결 튜브나 캡과 허브(hub)를 분리한다. 허브도 소독한다. 소독된 주사기를 연결하고, 혈액배양을 채취하기 전에 라인 내에 있는 오염물이나 간섭물질을 제거하기 위해 최소 0.5−1.0 ml의 혈액을 채취 후 버린다. 두 번째의 소독된 주사기를 연결하고 0.5 ml 정도를 채취한다. 혈액배양병 윗부분을 소독한 후 혈액을 혈액배양병에 넣는다. 카테터를 헤파린이나 생리식염수로 플러싱한다(flush).

9. 소아: 소아로부터 혈액배양 채취를 하는 것은 혈관을 찾기가 어렵고, 채취 과정에서 소아가 협조가 잘 되지 않고 저항하여, 채혈에 지장이 있다. 또한 성인에서 권장되는 채혈량이 소아 환자에게는 적용하기가 어렵다. 소아에서 최소 권장 채혈량이 0.5 ml라고 하더라도, 특정 상황에서는 0.1 ml 정도만 소아용 혈액배양 용기에 접종될 수도 있다. 이정도의 작은 양은 소아용 혈액배양 용기 1개에만 충분하다. 이러한 요인 때문에 피부 소독이 매우 중요하고, 정맥채혈 전에 1분 이상 충분히 건조하도록 시간을 가지는 것이 필요하다. 소아에서는 무산소성 균에 의한 패혈증의 위험 인자가 없는 경우, 무산소배양이 일반적으로 필요하지는 않다.

정맥채혈을 위해 요오드로 피부소독을 하는 것: 세균은 바를 때 죽지 않고 건조될 때 죽는다.

Frank Koontz, Ph.D.
University of Iowa Hospitals, Iowa City, IA

■ 뇌척수액

A. 선정(Selection)

1. 검체는 철저한 무균 술기로 채취한다.
2. 환자는 금식해야 한다.
3. 튜브 하나만 채취할 수 있다면 미생물 검사실이 우선적으로 받아야 한다. 둘 이상의 튜브(각 1 ml)를 채취할 수 있다면 미생물 검사실은 두 번째나 세 번째 튜브를 받아야 하고 혈액이 제일 덜 포함된 것을 선택한다.
4. 뇌척수액(CSF)은 척수 손상을 막기 위해 L3와 L4 사이 혹은 더 낮은 부위에서 채취한다. 소아의 경우는 성인에 비해 척수원뿔(conus medullaris)이 더 낮은 부위까지 내려오므로 L4와 L5 사이에서 채취한다.

B. 채취(Collection)

1. 재료(Materials)
   a. CSF 트레이(tray)
   b. 피부 소독제
   c. 소독 수건 혹은 포
   d. Novocaine (0.5-1%), 바늘, 주사기
   e. 두 개의 요추천자바늘, 작은 구경(20-22 게이지)의 탐침
   f. 수압력계(water manometer)
   g. 세 개의 작은 소독된 스크류 캡 튜브(screw-cap tubes)

2. 방법(Method)
   a. 술기 중에 환자가 움직이지 않도록 조치한다. 필요하면 억제대를 사용할 수 있다.
   b. 얼마간의 통증이 불가피함을 설명한다. 국소 마취는 뇌막에는 거의 도달하지 않고, 바늘이 경막에 닿거나 척추 주위의 결합조직을 당기게 되면 통증이 유발된다.
   c. 환자에게 머리가 무릎에 최대한 닿을 수 있도록 허리를 구부리도록 한다.
   d. 천자를 요추 부위에 할 때 양쪽의 장골릉(엉덩뼈능선) 사이에 그려지는 선을 따라서 피부를 소독한다.
   e. 임상의사가 바늘을 찌른다. 피부가 유입되면 척주관에 유피낭종(dermoid cyst)이 생길 수 있기 때문에 이를 막기 위해 탐침(stylet)을 사용한다.

    f. 척수액이 바늘에서 떨어지기 시작하면, 즉시 지주막하강에 바늘의 위치를 잡는다.

    g. 척수액의 압력을 측정한다.

    h. 소독 스크류 캡 튜브에 가능한 1 ml 정도가 되도록 척수액을 채취한다.

C. 검체 정보 표기(Labeling)

1. 환자 정보를 검체에 적는다.

2. 요청 시에 환자의 연령을 표시한다.

3. 받고 있는 치료를 표시한다.

D. 수송(Transport)

1. 검체를 냉장하지 않는다.

2. 사람이 검사실로 즉시 운반한다.

E. 기타 추가설명(Comment)

1. 검체는 원침하여 그람 염색으로 평가하고 가능한 경우, 30분에서 1시간 이내에 임상 의사에게 유선으로 결과를 보고한다.

2. 뇌척수액의 배양과 염색 정보는 즉시 임상 의사에게 유선상 혹은 직접 보고해서 치료에 대한 평가를 빨리 할 수 있도록 하는 것이 중요하다.

3. 환자의 연령은 병리사가 질환을 일으킨 병원체를 감별하는 단서가 될 수 있다.

4. 소아에서 고려 사항

    a. 뇌척수액 채취는 예상되는 증상이 없을 수 있는 중추신경계 감염을 배제하기 위해서 소아 환자에서 좀 더 자주 시행될 수 있다. 소아에서의 요추 천자는 체위를 만들고 술기 동안 유지하는 문제와, 채취할 수 있는 검체의 양에도 제한이 있는 점으로 인해 어려운 점이 있다. 성인과 마찬가지로 검체에 혈액이 섞이면 요추천자에 의한 혈관손상(traumatic tap)을 의미한다. 천자가 성공적이면 검체가 더 모이면서 혈액은 더 이상 보이지 않게 된다. 그러나 더 많은 혈액이 섞이거나 응고된 혈액이 보이면 이는 바늘의 위치가 잘못되었기 때문에 천자를 다시 해야 한다. 불행히도 환아에서 즉시 다시 천자하는 것은 불가능할 수 있기 때문에 종종 혈액이 섞인 뇌척수액을 배양을 위해 검사실에 보내야 될 수 있다. 검사실에서는 배양 전에 혈병을 균질화해야 한다.

b. 어떤 환아들은 과다한 뇌척수액을 배액하기 위해서 다양한 형태의 뇌실션
트를 가지고 있다. 이런 검체는 "뇌척수액"이 아니라 "뇌실션트액(ventricular
shunt fluid)"이라고 표시하는 것이 중요하다. 요추천자에서 오염균으로 취급
되는 균종이 뇌실션트 감염에서는 심각한 병원균으로 작용할 수 있다.

■ 흉막-흉강천자액(Pleural-Thoracentesis Fluid)

A. 선정(Selection)
1. 흉막액 축적은 압력으로 인해 통증, 호흡곤란과 다른 증상들을 유발할 수 있
다. 누출성 흉막액(transudative effusions)은 심장(울혈성 심부전)이나 신장, 혈
관 질환으로 인해 발생할 수 있다. 여출성 흉막액(exudative effusion)은 부폐렴
(parapneumonia)과 결핵성 농흉(tuberculous empyema)과 같은 염증 상태와
관련되어 있다. 흉막액은 폐 염증과도 연관될 수 있다.
2. 10 ml의 흉막액을 흡인하는 것이 적절하다.
3. 바늘 흡인으로 검체를 채취한다. 흉막액을 적신 면봉이 아니라 흉막액을 미생
물 검사실에 접수한다.

B. 채취(Collection)
1. 재료(Materials)(일회용 키트를 사용할 수 있음)
   a. 소독포
   b. 피부 소독제
   c. Novocaine (0.5 혹은 1%), 바늘, 주사기
   d. 흡인 세트(진공병, vacuum bottle)
   e. 기계식 혹은 수동 흡입 기구
   f. 다른 구경의 바늘(장액성 액체에는 작은 구경, 농성 여출액에는 큰 구경을
   사용)
   g. 선택사항: 플라스틱 카테터, 주사바늘(hollow-bore needle)(예, 사이즈 14의
   혈관 카테터)
2. 방법(Method)
   a. 환자가 팔을 머리 위로 하거나 앞으로 한 상태에서 뒤로 반쯤 눕는 반좌위
   (semirecumbent position)를 취하도록 한다. 다른 방법으로는 베개로 상체
   를 받치고 앉은 자세에서 앞으로 기울이거나 침대 옆 테이블을 두고 상체를

앞으로 기울일 수 있다.

b. 검체를 흉막강 내(interior)와 늑막횡격막동(costophrenic sinus)(흉강 내에서 폐 이외의 공간)에서 채취한다.

c. 임상 의사가 선택한 천자 부위의 피부를 소독한다. 위치를 선정하기 위해 X 선 촬영과 타진(흉음)을 이용한다.

d. 천자 부위를 마취한다.

e. 갈비뼈의 아랫쪽 변연부를 따라 위치하는 갈비사이혈관을 피하기 위해 환자가 숨을 들이쉬는 중에 바늘을 갈비뼈 사이로 진입시킨다.

f. 환자에게 기침을 하지 않도록 한다.

g. 바늘에 삼방밸브(three-way stopcock)를 연결해서 공기가 흉강 내로 들어가지 않도록 한다.

h. 바늘에 주사기나 진공병의 튜브를 연결한다.

i. 임상 의사의 지시에 따라 밸브를 열어서 검체를 배액한다.

j. 작은 소독 스크류 캡 용기(screw-cap jar)로 직접 배양을 위한 검체를 받는다.

k. 좀 더 정확한 세포 계수와 감별계산을 위해 여출액(단백질 성분이 많은)을 보라색 마개의 튜브에 받는다.

C. 검체 정보 표기(Labeling)

1. 환자정보를 검체에 표지한다.

2. 라벨에 검체의 유형과 어떤 검사를 해야 하는지 적는다.

D. 수송(Transport)

1. 검사실로 직접 검체를 운반한다.

2. 검체를 냉장하지 않는다.

E. 기타 추가설명(Comment)

1. 흉막액이 중력에 의해 흘러나오지 않기 때문에 흡입 기구가 필요하다. 낮은 압력은 폐 조직의 탄력과 갈비뼈가 올라가고 폐가 팽창하면서 발생하는 폐 조직의 저항성 때문이다. 폐가 아래 방향으로 부풀면 흉강 내 압력을 체외 대기 압력보다 낮게 만든다.

2. 객담에 피가 섞이는지 관찰해야 하고 이는 폐 조직이 손상되었음을 의미한다.

3. 소아에서 고려 사항: 성인과 동일함.

위장관 검체

■ 십이지장 내용물

A. 선정(Selection)

1. *Giardia lamblia*를 검출하기 위한 이상적인 검체는 대변 검체이다. 대변 검체에서 검출하지 못할 수 있지만 증상이 지속된다면 해당 균을 검출하기 위해 다른 수단이 필요할 수 있다.

2. 십이지장은 종종 *G. lamblia*와 *Strongyloides stercoralis*에 의한 감염의 병소일 수 있다.

3. 검사를 위해 십이지장 내용물을 채취하기 위해 사용되는 두 가지 방법을 사용할 수 있다: 십이지장 흡인을 위해 삽관을 하거나 Entero-Test라고 하는 십이지장 캡슐을 삼킬 수 있다.

B. 채취(Collection)

1. 삽관(15분 술기)

   a. 재료(Materials)

   i. 미리 삽관 길이를 측정한 이중도관 다이아몬드 튜브(Double-lumen Diamond tube)

   ii. 진정제(pentobarbital 등)

   iii. 흡입을 위한 주사기 혹은 기계식 흡인 기구

   iv. 검체 채취를 위한 대용량 소독 스크류 캡 튜브

   b. 방법(Method)

   i. 전날 금식을 하도록 하고 정맥주사로 진정제를 투여한다.

   ii. 이중도관 다이아몬드 튜브를 입으로 집어넣고 위 들문(cardia)을 향해 45 cm를 넣는다

   iii. 환자를 좌측 측와위(left lateral decubitus)로 눕히고 머리를 40.5 cm 정도 들도록 한다. 위의 큰굽이(greater curvature)까지 이르도록 15 cm를 더 삼키도록 한다.

   iv. 환자를 탁자의 가장자리에 앉도록 하고 몸을 앞으로 기울여 튜브가 날문안뜰부위(antrum)까지 들어가도록 한다.

   v. 환자를 우측 측와위로 눕히고 발을 5분 동안 들고 있도록 하여 연동 운

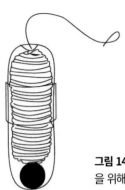

그림 14. Entero-Test 캡슐 그림. 삽입과 비교해서 이 캡슐은 기생충 감염 진단을 위해 십이지장 내용물을 덜 침습적으로 검사할 수 있다.

동에 따라 십이지장까지 튜브가 들어가도록 한다.

　vi. 마지막으로 환자가 바닥에 등을 대고 눕도록 하고 5분 동안 있도록 하여 튜브가 천천히 10-15 cm 동안 천천히 진행하도록 한다.

　vii. 투시조영을 통해 최종 위치를 잡도록 한다.

2. 캡슐(Entero-Test) (28)

　a. 재료(Materials)

　　i. Entero-Test는 추 역할을 하는 나일론 실 혹은 끈을 꼬아 만든 뭉치가 들어있는 젤라틴 캡슐로 구성되어 있다. 실 혹은 끈의 끝은 캡슐의 위로 나와 있다(그림 14).

　b. 방법(Method)

　　i. 환자의 얼굴에 캡슐에서 튀어나와 있는 끈의 끝을 붙인다.

　　ii. 환자가 캡슐을 삼키면 젤라틴은 녹고 추가 되는 끈 뭉치는 연동 운동에 따라 십이지장까지 들어간다.

　　iii. 4시간 후에 구강을 통해 끈 뭉치를 회수하고 담즙 점액이 묻은 끈 부분을 검사실로 보낸다.

C. 검체 정보 표기(Labeling)

　1. 환자 정보를 검체에 표기한다.

　2. Entero-Test는 십이지장에 들어갔던 끈의 부위를 길이로 표시한다.

　3. 의심되는 진단을 표기한다.

D. 수송(Transport)

1. Entero-Test는 끈이 건조되지 않도록 검사실로 즉시 보내야 한다. 사람이 운반 하도록 하고, 1시간 이내에 검사할 수 없으면 포르말린에 보존하도록 한다.

2. 삽관으로 배액한 십이지장 내용물은 보존 처리하지 말고 접수해야 한다. 2시간 이내에 검사를 완료할 수 없다면, 포르말린에 보존해야 한다.

3. 검체를 냉장 보관하지 말아야 한다.

E. 기타 추가설명(Comment)

1. 검사실에서 즉시 내용물이나 끈을 1 mL 식염수로 침적하여 검사하는 것이 필 수적이다.

2. 끈이 건조되지 않도록 한다.

3. 끈의 끝의 pH와 색깔을 확인해서 십이지장까지 적절히 들어갔는지 기록한다.

4. 기생충 검사 검체를 위한 적절한 보존제는 표 12에서 확인할 수 있다.

5. 소아에서의 요구 사항: 위 흡인액은 소독된 용기에 담아서 검사실로 즉시 운반 한다. 검체가 검사실에 도착하면 즉시 중화해야 한다. 결핵균 배양을 위해서는 이른 아침의 공복 검체가 좋지만, 유아의 식이 관계로 그런 검체를 얻는 것이 불가할 수 있다. 의료진은 환아의 식이 후에 가능한 오래 기다렸다가 흡인액을 채취하도록 한다. 이유식 같은 음식물이 흡인액에 있을 때는 결핵균 이외의 마 이코박테리움 균종이 분리될 때는 그 해석에 주의를 요한다.

표 12. 기생충 검사를 위한 변 검체를 운반하는데 사용하는데 사용되는 보존액의 특성[a]

보존제[b]	농축 검체에 사용하는가?	영구 염색에 사용하는가?	면역검사에 사용하는가?	NAT에 적합한가?	좋은 고정액 인가?	수은이 포함 되었는가?	염색에서 형태상 문제는 없나?
Formalin[d]	✓		✓	(✓)[e]	✓		✓
Buffered formalin	✓		✓		✓		✓
MIF	✓	(✓)[f]			✓		✓
SAF[g]	✓	[h]	✓	(✓)[e]	✓		✓[i]
PVA	✓[i]	✓		✓	✓	✓	✓
Modified PVA[j]	✓	✓		✓	✓		✓
Schaudinn's fluid (no PVA)[j]		✓			✓	✓	
Single-vial formulations[k]	✓	✓	✓	✓	✓		✓

[a]참고문헌 28번, 42번의 데이터
[b]MIF, Merthiolate-iodine-formalin; SAF, sodium-acetate-acetic acid-formalin; PVA, polyvinyl alcohol
[c]Nucleic acid test; 제조사의 권장 사항을 참고.
[d]Formalin (5 or 10%)은 충종 제조사들에 의해 공통적인 고정액으로 취급됨.
[e]제조사의 특별한 언급이 없는 한 일반적으로 고정액으로 성능이 좋지 않음.
[f]MIF의 iodine은 추가적인 염색 없이 원충류(포장), 충란, 유충이 보존함.
[g]단일 보존제를 선호한다면 좋은 선택이지만, 일부만 도포 습라이드가 필요함.
[h]Iron hematoxylin 염색은 미생물의 형태를 더 잘 볼 수 있음.
[i]편충속(Trichuris)의 충란과 람블편모충속(Giardia)의 포낭은 formalin처럼 쉽게 농축되지 않음. 등포자충속(Isospora)이 난포는 안 보일 수 있음. 분선충속(Strongyloides)의 유충 형태 관찰에는 안 좋음.
[j]이런 고정액 중 많은 것들이 염화수은보다는 황산아연염을 사용함.
[k]수은, 혹은 formalin 혹은 PVA를 포함하지 않음.

■ 위 내용물

A. 선정(Selection)

1. 이 방법은 객담 검체를 채취할 수 없을 때 M. tuberculosis를 검사하는 데 쓰인다.

2. 이 방법은 7세 미만의 소아에서 종종 사용된다.

3. 신생아의 위 흡인액의 배양은 잘못된 정보를 줄 수 있기 때문에 보통은 권장되지 않는다.

4. 음식과 물을 먹기 전 이른 아침에 검체를 채취한다.

B. 채취(Collection)

1. 재료(Materials)

   a. 14번 혹은 16번 레빈튜브(코로 삽입)

   b. Rehfuss 튜브 혹은 비슷한 것(입으로 삽입)

   c. 국소마취제 스프레이(선택 사항)

   d. 주사기 혹은 기계식 흡인 기구

   e. 무균 검체 용기

2. 방법(Method)

   a. 환자를 앉히거나 머리가 45도 들리게 하여 왼쪽으로 눕게 해야 한다.

   b. 환자의 턱을 들고, 레빈튜브를 약간 위쪽을 향하게 하여 부드럽게 비인두와 식도 쪽으로 뒤로 밀어 넣는다.

   c. 비인두에는 국소 마취제를 뿌리는 것은 선택사항이다.

   d. 경구 삽관을 위해서는 구역반사를 줄이기 위해 튜브를 차갑게 할 수 있다.

   e. 환자에게 입을 벌리고 턱을 앞과 위로 내밀도록 한다.

   f. 튜브의 끝을 혀의 뒤쪽에 놓고 목젖을 피해서, 인두 뒤쪽으로 밀어 넣는다.

   g. 환자에게 입을 닫고 삼킴과 입으로 심호흡을 번갈아 하도록 하면서 삼킬 때 튜브를 밀어 넣고 입에서 약 55 cm 깊이까지 넣는다.

   h. 투시조영을 사용해서 날문방에 튜브 끝을 위치시키거나(환자가 앉아 있을 때) 큰굽이의 중간 부위에 위치시킨다(환자가 좌측으로 누워 있을 때)(그림 15).

   i. 흡인은 주사기나 기계를 써서 시행한다.

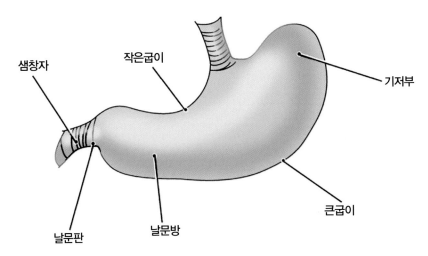

그림 15. 위의 모식도(위 전정부 방향)

C. 검체 정보 표기(Labeling)
　1. 환자 정보를 검체에 표시한다.
　2. 환자의 연령과 의심되는 병원체를 표시한다.
　3. 채취 시간을 표시한다.

D. 수송(Transport)
　1. 검체는 신속하게 검사실로 이송한다.
　2. 이송이 지연되면 냉장 보관한다.

E. 기타 추가설명(Comment): 객담 유도 후 30분 내에 위 세척을 할 때는 객담이나 위 세척액 단독 검체보다는 두 검체를 모두 검사하면 *M. tuberculosis* 배양 양성률 을 높일 수 있다.

■ 요충 충란 채취(접착 테이프법)

A. 선정(Selection)

　1. 요충(*Enterobius vermiularis*)은 직장을 통해 이동하여 항문 주변 피부에 알을 낳는다.

　2. 기생충은 보통 환자가 자는 밤에 주기적으로 알을 낳는다.

　3. 최상의 검체는 이른 아침 목욕 전에 채취하는 것이다.

B. 채취(Collection)

　1. 재료(Materials): 특별히 상업적으로 공급되는 검체 채취 패들이 선호된다(그림 16). 이를 사용할 없다면, 아래의 방법을 사용한다(그림 17).

　　a. 2-2.5 cm 너비의 투명한 셀룰로스(스카치테이프) 테이프의 조각(불투명한 것 제외)

　　b. 현미경 슬라이드(약 2.5×7.5 cm)

　　c. 설압자

그림 16. 요충 검사를 위한 검체 채취 플라스틱 도구

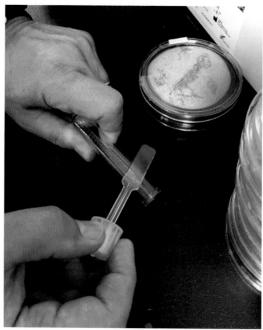

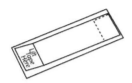

A 셀룰로스 테이프 슬라이드 준비

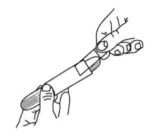

B 슬라이드를 설압자 끝이 1인치 정도
   나오게 고정하고 테이프의 긴 쪽을
   적당히 떼어냄

C 끈적한 부분이 노출되게 하여 설압자
   끝에 테이프를 두름

D 테이프와 슬라이드를 설압자와 함께
   움직이지 않게 쥠

E 항문 주변부 여러 부위를 끈적한
   부분으로 누름

F 테이프를 슬라이드에 붙임

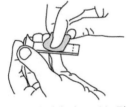

주의: 환자가 잠자리에 들고 몇시간 후에
채취함(약 오후 10시–11시), 혹은 아침 장운
동 이전에 아침에 채취함. 혹은 두 검체
모두 채취함

G 테이프를 솜이나 거즈로 부드럽게 누름

그림 17. 패들 도구를 사용할 수 없을 때, 요충 채취를 위해 사용되는 대체 방법(참고문헌 39 참조)

2. 방법(Method)(그림 17)

  a. 슬라이드의 한 쪽 끝에 8-9 cm 길이의 테이프의 0.5 cm를 붙인다. 나머지 부분의 테이프를 슬라이드의 끝을 둘러서 슬라이드에 붙이면 테이프가 슬라이드의 다른 쪽 끝에서 약 1 cm 지나서 붙게 된다. 끝의 절반을 접어서 두 개의 끈적한 부분이 서로 붙게 만들어 슬라이드에 완전히 붙지 않게 한다.

  b. 슬라이드를 설압자에 붙이고 테이프의 끝 부분을 잡아서 슬라이드에서 테이프의 긴 쪽을 들어올린다.

  c. 테이프를 설압자 끝에 둘러서 끈적한 표면이 노출되도록 한다.

  d. 테이프와 슬라이드를 설압자에 대고 잡고 테이프가 단단히 고정되도록 한다.

  e. 환자의 둔부를 벌리고 끈적한 표면을 항문 주위 여러 부위에 대로 누른다.

  f. 테이프를 다시 슬라이드에 붙인다.

  g. 테이프를 솜이나 거즈로 부드럽게 누른다.

C. 검체 정보 표기(Labeling)

1. 환자 정보를 표시한다.
2. 채취 시간과 환자 연령을 표시한다.
3. 검체를 냉장한다.

D. 수송(Transport)

1. 검체를 검사실로 신속하게 이송한다.
2. 채취 후에 검체는 냉장 보관한다.

E. 기타 추가설명(Comment)

1. 요충 충란 안의 유충은 열에 노출되면 빨리 분해된다.
2. 충란을 취할 가능성을 높이려면 밤 10시와 자정 사이에 테이프법을 시행하고, 그렇지 않으면 이른 아침이 좋다.
3. 여러 검체를 채취하는 것이 필요할 수 있다.
4. 충란은 감염성이 매우 높으므로, 무균 술기를 준수하고 검체를 채취한 후에 테이프의 끈적한 부위를 만지면 안된다.
5. 소아 요구 사항: 이 검사 검체는 보통 소아의 것이고, 위에서 언급한 방법으로 채취한다.

■ 직장과 항문 도말 검체

A. 선정(Selection)(대부분의 경우에 설사의 세균 병원체의 배양을 위해 선택해야 하는 검체는 설사변의 일부이며, 도말 검체의 물질은 아님)

　1. 직장 도말은 유아나 설사가 있는 급성 질환 환자의 설사 병원체 배양을 위해서만 수용 가능하다.

　2. 장관 병원체의 배양을 위한 도말 검체는 변이 보여야 한다. 항문 도말은 보통 설사의 세균 병원체 배양을 위해서는 권장할 만하지 않다.

　3. 일반적인 배양은 보통 *Salmonella*, *Shigella*, Shiga-toxin 생산 *E. coi*와 *Campylobater* spp.에 대한 검사를 말한다. 다른 병원체가 의심된다면 검사실에 의뢰를 해야 한다.

　4. B군 streptococci 분리는 이 부분 이후의 "생식기 검체"의 "일반 정보"를 확인 바란다.

B. 채취(Collection)

　1. 재료(Materials)

　　a. 도말

　　b. 수송배지

　2. 방법(Method)

　　a. 도말을 항문조임근 안으로 부드럽게 넣고 돌리고 빼내서 수송배지에 넣는다. 도말에는 변이 보여야 한다.

　　b. *Neisseria gonorrhoeae* (GC) 배양을 위해서는 항문륜 바로 안쪽의 항문의 주름을 도말한다. 가능한 변이 오염되는 것은 피한다.

　　c. GC 도말을 수송배지에 즉시 넣거나 환자 침상 옆이나 진찰대에서 바로 특수 GC 배지에 접종한다. 적절한 배지에 대해서는 검사실에 문의해라.

C. 검체 정보 표기(Labeling)

　1. 환자의 정보를 검체에 표시한다.

　2. 검사 대상 병원체를 표시하고, 특히 GC가 의심되면 반드시 표시한다.

　3. 검사 의뢰서에 채취 시각을 표시한다.

D. 수송(Transport)

　1. *N. gonorrhoeae* 검사를 위해서는 검체를 냉장하지 말고, 가능한 채취 후 30분

이내에 검사실로 이송한다.

2. 일상적 배양을 위해서는 이송 시간이 6시간 이상 지연된다면 수송배지를 냉장
   보관한다.

E. 기타 추가설명(Comment)

1. 설사의 세균 병원체를 진단하기 위한 최상의 검체는 설사변이며, 고형변이 아
   니다.

2. *Neisseria gonorrhoeae*는 영양요구도가 까다롭고, 냉장 온도나 이산화탄소가
   없거나, 적절한 배양 배지를 쓰지 않으면 사멸한다.

3. *Yersinia* spp. 같은 세균과 일부의 경우, *Vibrio* spp.와 *Aeromonas* 혹은
   Plesiomonoas spp.가 의심되면, 검사실에 알려야 한다.

4. 직장 도말은 *Clostridium difficile* 독소 검출에 권장되지 않는다. 또한 고형변도
   검사를 위해 접수해서는 안된다.

5. 소아 필요 사항: 채취와 이송은 성인과 마찬가지로 중요하다. *Yersinia
   enterocolitica*와 *Aeromonas hydrophila* 배양은 지역적인 필요성을 고려해라.
   항원 검출 효소결합면역흡착검사를 위해서 사용되는 도말 검체는 변이 도말에
   보인다면 수용가능하다.

■ 아메바증 진단을 위한 구불결장내시경 검체

A. 선정(Selection)

　1. 구불결장내시경은 아메바증이 의심되고 대변검체가 기생충 검사에서 음성이면
　　사용된다.

　2. 구불결장내시경 전에 하제 사용, 관장, 바륨 처치를 하지 말아야 한다. 하제가
　　필요하면 시술하기 전에 2–3시간을 기다린다.

　3. 장관 점막에서 아메바가 붙어 있거나 침착 되어 있을 가능성이 높은 곳에서 직
　　접 내용물을 취한다.

B. 채취(Collection)

　1. 재료(Materials)

　　a. 고무 벌브가 있는 혈청 피펫

　　b. 소파기(소파생검을 한다면)

　　c. 내시경 혹은 구불결장내시경

　2. 방법(Method)

　　a. 윤활제를 바른 구불결장내시경을 직장에 부드럽게 넣는다.

　　b. 구불결장이 보이는 곳까지 기구를 넣는다.

　　c. 혈청 피펫으로 보이는 병변과 점막 표면에서 내용물을 흡인한다.

　　d. 소파기를 사용해서 점막벽의 의심되는 곳을 부드럽게 긁는다. 면봉도말은
　　　너무 많은 내용물을 흡수하기 때문에 권장되지 않는다.

　　e. 검체를 무균성 배양 튜브에 넣고 즉시 검사실로 이송한다.

C. 검체 정보 표기(Labeling)

　1. 환자 정보를 검체에 표시한다.

　2. 정확한 검체의 근원(source)을 표시한다(즉, "구불결장의 병변" 혹은 "구불결장
　　내시경").

　3. 잠혈검사나 다른 검사가 필요한지 표시한다.

D. 수송(Transport)

　1. 신속한 이송이 중요하다.

　2. 검체를 냉장하지 않는다.

E. 기타 추가설명(Comment)

1. 다른 검사가 요구되지 않으면, 아메바증에 대한 검사만 시행해야 한다.
2. 가능한 많은 내용물을 취해서 건조되는 것을 예방한다. 검체의 검사실로의 신속한 이송은 성공적인 관찰 확률을 높인다.
3. 확진을 하기 위해서는 3개의 대변 검체가 필요할 수 있다.
4. 소아 요구 사항: 성인과 동일.

■ 배양 또는 기생충 검사를 위한 대변

A. 선정(Selection)

　1. 이상적인 검체는 설사변(질환의 급성기 검체)

　2. 세균 배양을 위한 직장 도말 검체는 대변이 보여야 함. 일반적으로 도말 검체는 유아에서만 권장됨.

　3. 세균 병원체 검사를 위해 3일에 걸쳐 매일 하나씩 3개의 검체를 채취해서 접수한다. 현미경으로 기생충을 검사할 때, 2일에 한 번씩 혹은 3일에 한 번씩 검체를 채취하여 3개의 검체를 채취하는 것이 적절하다. 하나의 검체로는 설사의 원인으로 세균이나 기생충을 배제할 수 없다. 단, 람블편모충속 항원 검출을 위해 효소면역검사를 한 경우는 1회 검사만 할 수 있다.

　4. 일부 균종에서 보균상태를 배제하기 위해서는 종종 연속된 3개의 음성 검체가 요구된다.

　5. 바륨, 오일, 마그네슘, 결정 혼합물을 섭취한 직후에 기생충 검사를 위한 검체를 채취하는 것은 권장되지 않는다. 이런 제재를 섭취한 후에는 최소 5일간 검체 채취를 연기한다.

B. 채취(Collection)

　1. 재료(Materials)

　　a. 좌변기에 맞춘 플라스틱 검체 채취 용기인 코모드(Commode) 채취 시스템을 사용할 수 있다(그림 18). 대체 방법으로 밀봉 뚜껑이 달린 깨끗하고 왁스처리가 된 판지 컵이나 이와 유사한 용기를 사용할 수 있다(이는 세균 배양이나 즉각적인 기생충 검사를 위한 검체에 해당한다). 용기가 작을수록 환자가 적절한 검체를 제공하기가 어렵다.

　　b. 도말(급성기 환자나 대변 검체를 채취할 수 없을 때)

　　c. 기생충 이송 팩(포르말린 단지 1개, 폴리비닐 알코올 단지 1개) 혹은 이에 해당하는 물품(그림 19)

　2. 방법(Method)

　　a. 컵이나 채취 용기에 직접 배변할 수 있는 환자에게 지시한다. 변기의 물에서 검체를 채취하거나 검체를 소변으로 오염시키지 않도록 한다. 검체 뚜껑을 밀봉하고 냉장 보관한다.

b. 대체 방법으로는, 무균 상태의 요강이나 플라스틱 랩, 종이에서 10-20g의 대변을 채취해서 용기에 담는다.

c. 기생충 검사를 위해 상기 방법대로 하고, 검체가 아직 따뜻할 때, 검사실에 직접 전달한다. 지연될 때는 약 0.5에서 1 티스푼 정도의 검체를 제공되는 고정액에 넣는다(그림 20).

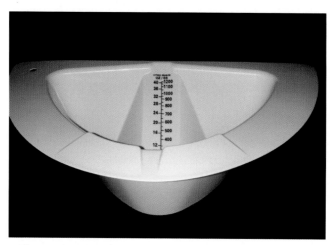

그림 18. 대변 검체 채취를 위한 1회용 위생 용기. 환자에게 검체 채취 시기, 보존, 이송에 대한 구두, 서면상 지시사항이 제공되어야 한다.

그림 19. 기생충 검사를 위해서 환자는 하나 혹은 두 개의 특수 수송 바이알을 받아야 하며, 사용법 교육을 받아야 한다.

주의: 무른 변이나 고형변은 이 방법으로 접수되어야 한다. 검체는 바이알에 넣을 때
신선해야 한다.

1　키트는 두 바이알로 구성된다(하나는
10% 포르말린, 하나는 PVA 고정액)

2　대변은 건조된 용기에 담아야 하고, 소변이
같은 용기에 들어가면 안 된다.

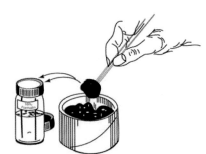

3　채취 막대기를 써서 일정량의 변을
10% 포르말린에 담는다(포르말린과 검체의
비율은 3:1)

4　동일량을 PVA 고정액 바이알에 담는다.

5　10% 포르말린과 PVA 고정액 내의 검체를
완전히 잘게 부수고 강하게 섞는다.

6　두 개 바이알을 파손되지 않게 잘 포장하고,
검체 정보를 동봉하고 검사실에 배송하거나
전달한다.

그림 20. 기생충 수송과 보존 바이알을 사용하는 방법에 대한 도해 설명은 환자에게 도움이 될 수 있음.
수은 미포함 보존제는 폴리비닐 알코올(PVA) 대신 사용할 수 있음. 참고문헌 39에서 인용.

C. 검체 정보 표기(Labeling)

1. 환자 정보를 검체에 표시한다.
2. 요구되는 검사의 유형을 표시한다: 일상적 배양, 충란과 기생충, 특수 검사 등
3. 채취 시각과 날짜를 표시한다.
4. 특별한 환자력을 표시한다(여행, 다른 이환된 가족 등)
5. 한 환자에서 연속적으로 채취한 검체는 표시한다(즉, "1 중 3", "2 중 3", 3 중 3").

D. 수송(Transport)

1. 검체를 세균 배양을 위해 즉시 이송할 수 없다면 냉장한다.
2. *C. difficile* 검사를 위해 검체를 접수할 때, 48시간 초과하여 이송이 지연된다면, 검체를 냉동하거나 4도에 두었다가 신속히 접수한다.
3. 기생충 검사를 위해서는 신선한 검체를 가능한 빨리 접수한다. 보전된 검체는 검사실 접수를 서두를 필요는 없다.
4. 세균 병원체에 대해서는 접수가 2–3일 지연된다면 Cary-Blair 수송배지에 검체를 담는다.

E. 기타 추가설명(Comment)

1. *Salmonella*, Shigella, Shiga-toxin 생산 *E. coli*, *Campylobacter* spp. 이외의 세균이 설사의 원인균으로 의심되면 검사실에 알려야 한다. *Vibrio*, *Yersinia*, *Aeromonas* spp.는 특별한 검사 절차가 필요하며 보통 좀 더 많은 비용이 소요된다.
2. 감수성 검사는 *Campylobacter* spp. 균주에 대해서는 일반적으로 시행되지 않는다.
3. 대변에 대해서 무산소성 배양은 시행되지 않는다.
4. 담즙, 결장루, 회장루 검체는 대변 검체와 동일한 방법으로 이송된다.
5. 소장 흡인액은 무산소균에 대해서 검사할 수 있다. *Bacteroides*와 *Bifidobacterium* spp.는 소장에 집락화될 수 있고, 장폐색이 있을 때 흡수장애신드롬을 유발할 수 있다.
6. 많은 검사실에서 람블편모충 혹은 와포자충에 대한 초기의 신속한 기생충 선별검사를 본격적인 충란, 기생충 현미경 검사보다 우선적으로 시행한다. 현재의 효소면역 검출검사는 3개의 대변 검체 채취를 불필요하게 한다. 많은 연구

에서 하나의 검체가 항원을 검출하기에 충분하다고 나타났다.

7. 환자가 면역저하 상태일수록 어떤 기생충은 몸의 다른 부위로 퍼질 가능성이 높기 때문에 추가적인 임상 검체를 검사실에 보낼 필요가 있다.

8. 소아 필요 사항: 기본적으로 성인과 동일. 소아는 수송배지에 검체를 신뢰성 있게 검체를 채취할 수 없기 때문에 변기에 맞는 용기를 사용하거나 플라스틱 랩을 기저귀에 대는 방법으로 검사에 필요한 검체를 잘 채취할 수 있다. 대변량 이 적으면, 기생충 수송 용액으로 대변과 고정액의 권장 비율인 3:1을 맞출 수 있도록 한다. 직장 도말은 충란과 기생충 검사에는 권장되지 않는다.

■ 대변 검체 채취 요령

(환자에게 제공하거나 유선으로 읽어줄 수 있는 예시)

의사가 당신의 문제의 원인을 알아내기 위해 검사실에 대변 검체를 제출하도록 요청했습니다. 당신은 검체를 채취하고 검사실에 가져올 때에 다음의 방법을 주의 깊게 따르는 것이 중요합니다.

1. 검체를 검사실이나 의사 사무실에 배변 후 2시간 이내에 제출하도록 하세요. 가능하다면 검사실에 오직 직전에 검체를 채취하십시오.

2. 검사실에서는 작은 달걀 정도 크기의 대변 양이 필요합니다.

3. 화장실에 갈 때에, 검체 채취에 필요한 용품을 가지고 가십시오.

    a. 의사는 하나 혹은 그 이상의 특별한 용기를 주었을 것입니다. 그렇지 않다면 당신은 건조된 깨끗한 스크류 뚜껑이 있는 용기(아기 음식 용기나 깨끗하고 비어 있는 파인트 용기 혹은 깨끗한 뚜껑이 있는 플라스틱 마가린 용기)를 사용할 수 있습니다.

    b. 신문지나 플라스틱랩, 숟가락(플라스틱 가능) 혹은 깨끗한 막대기가 필요합니다.

4. 변기에 배변하고 그것을 뜨면 안됩니다. 용기에 바로 배변하거나 신문지나 플라스틱 랩에 배변하고 그것을 달걀 크기로 숟가락으로 떠서 용기에 담습니다. 플라스틱 랩을 좌변기를 가로질러 놓거나 신문지를 바닥에 펼 수 있습니다.

5. 만일 "포르말린"이나 "PVA"라고 표기한 액체가 담긴 용기를 받았다면 대변을 큰 구슬 크기로 떠서 용기에 넣고 막대기나 숟가락 손잡이로 강하게 섞습니다. 이 액체는 독성이 있습니다. 마시면 안 되며 아이가 가지고 놀게 하지 마십시오. 잘 섞고 뚜껑을 올바르게 단단히 잠그는 것을 잊지 마십시오.

6. 검체를 검사실에 신속히 이송할수록 좋습니다. 검체를 채취하고 2시간 이내에 도달할 수 없다면 밀폐한 용기를 검사실에 올 수 있을 때까지 냉장고에 둡니다. 검사 전날에 채취한 검체는 검사에 사용할 수 없습니다.

7. 의사가 3개의 검체를 제출하도록 했다면, 각 검체 채취 사이에 48시간을 기다립니다(28). 용기에 채취한 날짜를 표기하는 것을 잊지 않습니다.

생식기 검체

일반 사항

A. 생식기 검체는 많은 양의 공생(정상) 세균총이 있는 부위에서 종종 채취하기 때문에 검체 선택과 채취 방법이 중요하다.

B. 일상적인 배양을 위한 질 검체는 해석을 어렵게 하는 정상 세균총이 많기 때문에 권장되지 않는다. 질증이나 질염의 진단은 종종 배양이 아니라 그람염색으로 할 수 있다.

C. 무산소성 세균 검사는 그림 13에서와 같이 특정 검체에 제한된다.

D. 생식기 감염의 많은 병원체는 특정 부위에 한정이 되며 표 14와 같다.

E. 미국에서 *Chlamydia trachomatis* 감염이 *N. gonorrhoeae*에 의한 감염보다 더 흔하다. 검사실은 직접 현미경 검사, 효소면역검사, 특수 배양, DNA 더듬자(probe)를 사용해서 *C. trachomatis*를 검출할 수 있다. Chlamydia와 GC 감염은 종종 동시에 일어날 수 있고 서로 증상이 유사할 수 있기 때문에 GC 검사 요청과 함께 chlamydia 검사도 권장된다.

표 13. 배양을 위한 생식기 검체

채취 부위	검체 혹은 채취 부위	
	무산소성 배양 제외	무산소성 배양
여성	자궁경관내막 질 요로 태반 외음부 여성 생식기 오로 회음	제왕절개에서 나온 태반 자궁(내막) 난관 자궁경부 흡인액 난소 바르톨린 샘
남성	요로 전립선 액 정액	

표 14. 여성의 생식기 감염 병원체

감염 부위	감염이 가능한 병원체
외음부	*Treponema pallidum* *Haemophilus ducreyi* *Chlamydia* spp. Herpesvirus Yeasts
질	*Trichomonas vaginalis* *Candida albicans* Mixed bacteria of bacterial vaginosis
자궁경부	*N. gonorrhoeae* *Chlamydia* spp. Herpesvirus *Actinomyces* spp.
요로, 상부관	*N. gonorrhoeae* *Chlamydia* spp. Aerobic and anaerobic bacteria

F. 바르톨린 샘. 샘 농양에서의 농은 가끔 촉진을 통해 바르톨린 관에서 채취할 수 있다. 아니면 바늘이나 주사기로 직접 흡인할 수도 있다.

G. 자궁내막. 검체는 흡입 소파술로 얻는 것이 이상적이다. 보호되지 않은 면봉으로 자궁경부를 거쳐서 검체를 채취해서는 안 된다. 이는 자궁경부와 질의 정상세균총과 자궁내막염을 일으키는 세균에 오염될 수 있기 때문이다.

H. 골반염증질환. 모든 검체는 침습적인 술기로 얻는다. 복막 내 액체는 질둥근천장 (vaginal vault) 후부를 통해 맹낭(cul-de-sac)에서 흡입하여 채취한다(맹낭천차, culdocentesis). 난관이나 난소에서 직접 취하는 검체는 외과적으로 채취한다.

I. 외음부 병변에서 찰과(scraping), 흡인, 생검한 물질은 매독을 제외하고는 보통 의미가 없다. 매독 병변이 있으면, 장액이 나올 때까지 마른 거즈를 써서 주의 깊게 병변을 찰과하여 검체를 채취한다(출혈이 생기면 암시야현미경 판독을 방해하기 때문에 피한다). 액체를 모은 후에 깨끗한 슬라이드에 검체를 한방울 떨어뜨리고 움직이는 스피로헤타를 직접 검사한다.

J. 자궁내 장치. 이 장치는 자궁경부나 질 오염을 피하기 위해 외과적으로 제거한다. 삼출물을 포함한 전체 장치를 소독한 용기에 넣어서 검사실로 이송한다.

K. Chlamydia 감염. 균이 질 내의 편평상피세포에서 자랄 수 없기 때문에 질염을 일으키지 않으므로 질 분비물을 접수하면 안된다. *Chlamydiae*는 자궁경부 원주세포의 절대세포 내에 기생을 한다. 자궁경부 내측을 힘을 주고 문질러서 이 세포와 분비물을 채취한다. 면봉을 chlamydia 특별수송배지에 직접 넣거나 염색을 위해 슬라이드를 준비한다.

L. 여성에서 B군 streptococci를 검출하려면 새로운 공공 보건 가이드라인에서는 질 입구(vaginal introitus)와 항문 직장에서 하나 혹은 두 개의 도말 검체를 채취하도록 권장한다. 자궁경부 배양은 수용할 수 없으며, 질경을 사용해서는 안 된다. 면봉 검체는 세균소송배지에 안전하게 넣을 수 있다. 선택적인 액체배지나 배양을 하는 것을 권장한다.

M. 전립선 분비물은 직장을 통한 손가락 마사지로 채취하고 Meares and Stamey four-glass 술기 혹은 Nickel 2-glass 술기를 사용해서 마사지 전후의 소변 검체를 동반해야 한다. 혹은 정액을 배양을 위해 접수할 수 있다.

N. 소아 필요 사항: Calcium alginate 면봉은 소아에서 생식기 검체 채취에 적절하다. 생식기 검체는 가능한 학대을 조사하거나 초경 전 외음부질염이나 요로염을 진단하기 위해 채취한다. 이 검체는 종종 얻을 수 없기 때문에, 소아 요로생식기 검체 배양을 위한 모든 노력을 다해야 한다. 사춘기이전 여성의 대부분의 성매개 감염은 자궁경부 보다는 질에 이환된다.

주의: 성학대의 피해자일 수 있는 아이를 위해서 검사실은 점유의 연속성(chain of possession) 양식이 검사실에서 받은 검체가 실제로 양식에 이름을 적은 환자에게서 채취한 것인지를 기록할 수 있는지를 확인해야 한다.

■ 자궁경부 혹은 자궁경부내막 검체

A. 선정(Selection)

1. 자궁경부 혹은 자궁경부내막 검체의 질 분비물에 의한 오염은 *N. gonorrhoeae* 의 분리를 저해하고 그람 염색의 해석을 어렵게 한다.

2. 해당 부위를 검사하는데 도움이 되는 자궁경부경(cervical speculum)을 사용하여 자궁경부 내의 검체만 채취한다.

B. 채취(Collection)

1. 재료(Materials)

   a. 자궁경부경

   b. 면봉

   c. 수송배지

   d. 온수

2. 방법(Method)

   a. 온수로 자궁경부경을 적신다. 윤활제는 *Neisseria*에 독성이 있을 수 있다.

   b. 자궁경부를 보고 자궁경부 입구에서 점액 혹은 질 분비물을 제거한다.

   c. 자궁경부경의 날로 자궁경부를 부드럽게 누르고 calcium alginate, Dacron 혹은 무독성의 면봉 혹은 플록드 면봉(flocked swab)으로 자궁경부 내 분비물을 채취한다. 대체 방법으로 자궁경부 입구에 면봉을 넣고 몇 초간 두고 나서 제거한다.

   d. 항문 부위의 배양은 *N. gonorrhoeae*가 의심될 때 자궁경부 검체와 동시에 채취할 수 있다. 직장은 치료 후 유일한 양성 부위일 수 있다. 항문륜 바로 안쪽의 항문관 안으로 면봉을 약 2.5 cm 넣는다. 면봉을 양옆으로 움직이고 나서 제거한다. 대변이 면봉에 묻어 있어야 한다.

C. 검체 정보 표기(Labeling)

1. 환자의 정보를 검체에 표기한다.

2. 의심되는 진단명을 표기한다.

3. 검체를 채취한 시점과 채취 부위를 표기한다.

D. 수송(Transport)

1. *N. gonorrhoeae*가 면봉에서 6시간까지 생존할 수 있지만, 생존력은 시간이 지

날수록 떨어진다.

2. GC 배양을 위한 검체는 즉시 배양하고 이산화탄소 조건에서 배양해야 한다.

3. 이상적으로는 면봉 검체를 환자 침상에서 특수 배지에 직접 접종해야 한다. 아니면, 면봉을 수송배지에 넣고 신속히 검사실로 옮긴다.

4. 검체를 냉장하면 안 된다.

E. 기타 추가설명(Comment)

1. 그람 염색은 질이나 자궁경부 검체에서 *N. gonorrhoeae*를 효과적으로 검출하는데 사용할 수 없다. 형태적으로 *N. gonorrhoeae*와 유사한 정상 세균총이 존재하기 때문이다.

2. 소아 필요 사항: 성인과 동일; 그러나 배양을 위해 자궁경부에서 채취하는 검체는 청소년(사춘기) 환자에서만 적절하다.

> 자궁경부 점액을 자궁경부 내 검체를 채취하기 전에 완전히 제거하지 않으면, 검체를 채취하는 데쓰이는 세포솔질(cytobrush)나 찰과기구(scraper) 혹은 병원체를 검출하는 증폭 검사는 *Chlamydia trachomatis*의 적절한 검출이나 그 유병률의 정확한 결정을 하기가 어려울 것이다.
>
> JIM KELLOGG, Ph.D.
> York Hospital, York, PA

■ 헤르페스 검사를 위한 생식기 도말 검사

A. 선정(Selection)

1. 채취를 위해서는 수포 내 액체와 병변의 기저부에서 한다.
2. 자궁경부 내와 질벽 검체가 적절하다.

B. 채취(Collection)

1. 재료(Materials)

   a. 바이러스 수송배지

   b. 면봉(calcium alginate는 적절하지 않을 수 있다)

   c. 26게이지 바늘이 달린 투베르쿨린 주사기

   d. 수술용 칼날(scalpel blade)(병변의 표면을 제거하기 위한 것)

2. 방법(Method)(세 개 부위에 대한)

   a. 수포: 육안으로 수포의 위치를 찾고 바늘과 주사기로 무균적으로 그 내용물을 흡인한다. 면봉으로 병변의 기저부에서 검체를 채취한다.

   b. 자궁경부: 자궁경부 내로 면봉을 집어넣고 부드럽게 돌린다.

   c. 질: 질벽을 도말한다.

C. 검체 정보 표기(Labeling)

1. 환자 정보와 정확한 채취 부위를 검체에 표기한다.
2. 헤르페스바이러스를 검사하는 것을 표기하고 병력에 헤르페스바이러스 감염이 있는지 표기한다.
3. 채취 시점을 표기한다.

D. 수송(Transport)

1. 검체는 냉장하고 냉동하지 않는다.
2. 바이러스 이송 바이알이나 용기에 면봉을 넣어서 검사실로 이송한다. 세균수송배지를 사용하지 않는다.

E. 부가 설명

1. 가능하면 세균 오염을 막는다. 냉장 온도에 검체를 둔다. 냉동하거나 실온에 두지 않는다. 용기는 젖은 얼음에 잠기도록 둘 수 있다.
2. 바이러스 배양을 위해 접수되는 검체는 냉동과 이어진 해동은 비리온을 파괴할 수 있어서 검사실에서 배양이 안될 수 있다.
3. 소아 필요 사항: 성인과 동일

■ 요로 및 음경 검체

A. 선정(Selection)

1. 요로는 가장 흔히 배양되는 남성 생식기 부위이다.

2. 소변 검체를 채취할 때 준비하는 것처럼 요도 구멍의 외부 피부 상재균을 제거한다.

3. 면봉으로 채취하는 요로 안쪽 약 2 cm 지점의 내용물이나 나오는 농이 이상적인 검체이다.

4. 많은 기관과 외래에서 *N. gonorrhoeae* 검출을 위한 핵산 증폭 검사를 시행하고 있어 요로 면봉 검체보다는 소변 검체만 요구된다.

B. 요로 면봉 검체를 위한 채취

1. 재료(Materials)

   a. 요로생식기 면봉

   b. 수송배지

   c. 도말 염색을 위한 슬라이드

2. 방법(Method)

   a. 요로에서 삼출물을 짜고 면봉으로 채취한다. 면봉을 수송배지에 넣는다.

   b. 추가적인 삼출물을 면봉에 채취하고 면봉을 염색을 위한 슬라이드 준비에 사용한다. 면봉을 슬라이드의 표면에서 2–3 cm 정도를 굴리고 같은 쪽에 라벨을 붙인다.

   c. 삼출물이 없으면, 요로생식기 면봉을 요로 안쪽으로 2 cm 정도 집어넣고 부드럽게 굴리고 제거한다.

   d. 검체를 가능한 신속하게 특수 배지에 접종하고, 검체를 이산화탄소 공급 섭씨 35도 배양기에 둔다. 접종 후에 염색을 위한 도말을 준비한다. 두 개의 면봉을 쓸 수 있으면 하나는 배양을 위해, 하나는 도말을 위해 사용한다.

C. 검체 정보 표기(Labeling)

1. 환자 정보를 검체에 표기한다.

2. 채취 시기를 표시한다.

3. 의심하는 진단명을 표기한다.

D. 수송(Transport)

　1. 검체를 냉장하지 않는다.

　2. 검사실에 즉시 이송한다.

E. 기타 추가설명(Comment)

　1. 남성에서 임질 진단은 종종 요로 삼출물의 그람염색으로 확진될 수 있다. 여성에서는 질이나 자궁경부 분비물에서의 GC 그람염색에 의한 확진은 가능하지 않으며, 이는 질 내의 비병원성 균종이 *N. gonorrhoeae*의 쌍알균 형태와 유사하기 때문이다.

　2. *Neisseria gonorrhoeae*는 영양요구도가 까다롭고 환경 조건에도 약하며 낮은 온도와 이산화탄소의 부재에도 잘 견디지 못한다.

　3. *N. gonorrhoeae* 검사와 함께 chlamydia 검사를 고려해야 하는데, 이는 이 병원체가 요로염 환자에서 종종 발견되기 때문이다.

　4. 면봉 유형의 선택이 중요하다. 제품 설명서를 확인하거나 면-, calcium-alginate- 혹은 Dacron-면봉 또는 플록드 면봉 중 어떤 것을 사용해야 하는지 검사실에 연락해본다.

　5. 소아 요구 사항: 성인과 동일.

호흡기 검체(RESPIRATORY SPECIMENS)

일반 정보(General Information)

A. 상부 호흡기 감염(Upper respiratory tract infections)

1. 상부 호흡기 감염은 인두염, 후두염, 후두개염, 부비동염으로 세분된다.

2. 각각의 감염은 특징적으로 어떤 미생물에 의해 유발되는데, 각각은 검체 채취
   에 있어 채취와 수송에 특정 요건들이 있다.

3. 인두염(Pharyngitis)

   a. 급성 감염은 베타-용혈성 연쇄상구균이 배양에서 확인되거나, 그룹 A 연쇄
      상구균이 항원 검사에서만 양성으로 나올 수 있다. 직접 항원 검사는 검출
      한계(limit of detection)을 이해하는 것이 중요하다.

   b. 인두에서 *N. gonorrhoeae*은 일반적으로 의뢰되지 않는다. 이런 요청사항은
      검체 채취 시기에 알리고, 검체를 가능한 즉시 접종해야 한다. 이 세균은 냉
      장 온도에서는 빠르게 사멸한다. 인두 도말 그람 염색은 *N. gonorrhoeae*를
      확인하는데 사용할 수 없다.

   c. *Corynebacterium diphtheriae* 검사를 위한 검체 채취는 면봉으로 콧구멍 뒤
      쪽(posterior nares)을 문질러서 얻는다. 또한 인두 뒤쪽에서 채취한다. 일반
      적인 수송배지를 사용한다.

   d. 바이러스성이 의심될 경우, 면봉으로 인두에서 검체를 채취하거나 비강 세척
      을 통해 검체를 채취한다. 바이러스 수송배지를 사용하여 검체를 의뢰한다.

4. 후두염(Laryngitis)

   a. 후두염은 주로 파라인플루엔자 바이러스(parainfluenza virus), 호흡기 세포
      융합 바이러스(respiratory syncytial virus), 인플루엔자 바이러스(influenza
      virus), 아데노바이러스(adenovirus)같은 호흡기 바이러스에 의해 발생한다.

   b. 진단에 필요한 경우, 면봉으로 인두에서 검체를 채취하거나 비강 세척을 통
      해 검체를 채취한다. 바이러스 수송배지를 사용하여 검체를 의뢰한다.

5. 후두개염(Epiglottitis)

   a. 인두 배양은 의뢰하지 않는다. 염증이 있는 후두개를 자극하면 기도 폐쇄를
      유발할 수 있다.

   b. 필요하다면, 혈액배양이 표준 검체이다.

    6. 부비동염(Sinusitis)

       a. 표준 검체는 비강을 소독 후 바늘로 부비동으로부터 흡인하여 얻는 검체이
다. 면봉으로 검사를 의뢰하면 안된다.

       b. 흡인액을 제외한 검체는 추천하지 않는다.

B. 하부 호흡기 감염(Lower respiratory tract infections)

    1. 항상 어느 정도의 구인두 상재균의 오염이 있어, 그로 인해 결과가 임상적으로
상관없이 나올 수 있으므로, 검체를 신중하게 주의해서 채취해야 한다.

    2. 흡인이나 생검 검체같이 양이 적은 검체로는 여러 검사를 시행할 수 없다.

    3. 검체의 질은 현미경적으로 평가한다(그림 21). 최소의 편평 상피세포와 유의한
숫자의 다형핵 백혈구(polymorphonuclear leukocytes)를 포함하고 있는 적절
하게 채취된 검체는 임상적으로 의미있는 결과를 제공한다. 질적으로 부적합한

그림 21. 검체의 질은 현미경적으로 평가한다. 상피세포가 있을 경우 일
반적으로 정확한 판독에 혼란을 초래하는 상재균이 있다는 걸 의미한다.

검체는 잘못된 결과를 제공할 수 있어서 판독하면 안된다. 미생물학 검사실이 결과 입력에 대해 제안하도록 해야 한다.

4. *Bordetella pertussis*는 배양이 까다로운(fastidious) 미생물로 즉시 배양해야 한다. 표준 검체는 비인두 뒤쪽의 점액(mucus)이며, Regan-Lowe나 Jones-Kendrick medium 같은 특수 수송배지를 사용해야 한다. 호흡기 치료관련 인력이 비인두 세척액을 채취하는 데 도움을 줄 수 있다.

■ 기관지내시경-기관지 세척액(Bronchoscopy-Bronchial Washing)

A. 선정(Selection)

1. 기관지 내시경을 통해 검체를 채취한다.
2. 하부 호흡기의 검체를 직접 채취한다.
3. 폐의 관련된 대상 범위에 접근할 수 있어야 한다.
4. 기관지 찰과법(Bronchial brushing)은 기관지 세척액 채취 시 희석될 수 있으므로, 기관지 세척액보다 선호된다.

B. 채취(Collection)

1. 재료(Materials)
   a. 리도카인(2%) (선호됨); 마취 용도
   b. 기관지 찰과술 검체를 위한 lactated Ringer's solution 또는 식염수
   c. 폴리에틸렌-글리콜 마개로 원격부위가 막히고 망원경이 장착된 더블-카테터를 가진 이중 내강 기관지 내시경(double-lumen bronchoscope)을 사용할 수 있다.
   d. 내시경용 검체 채취용기(Lukens trap) (그림 22)
   e. 20-ml 루어 슬립 주사기(Luer slip syringe)
   f. 1회용 기관지용 솔(disposable cytology brush)
   g. 자일로카인(Xylocaine) (4%)
2. 방법(Method)
   a. 마우스피스로 흡인하고 코로 뱉어내도록 하여, 시술할 부위를 마취시킨다. 양쪽 콧날을 자일로카인 젤리로 문지른다. 환자가 기관지 내시경 시술을 견딜 수 있도록 정맥으로 진정제를 투여해야 할 수도 있다.

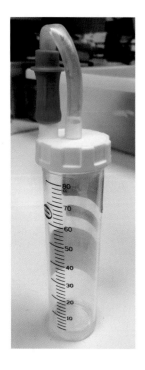

그림 22. 다양한 호흡기 흡인액을 채취하는 데 쓰이는 Lukens trap.

b. 세미파울러자세(semi-Fowler's position)로 환자의 등을 기울인다.

c. 2% 자일로케인 젤리를 기관지 내시경의 끝에 묻지 않도록 주의하며 기관지 내시경에 바른다.

d. 기관지 내시경을 코를 통해서 넣는다.

e. 기관지 세척(폐렴의 진단을 위해서는 좋은 검체가 아님)

    i.   Lukens trap을 기관지 내시경에 연결한다.

    ii.   10mL 비정균성 식염수를 기관지내시경의 채널 입구를 통해 서서히 주입한다.

    iii. 액체를 흡인해낸다.

    iv.   Lukens tube를 밀봉해서 검사실로 보낸다.

f. 이중내강(double luemn)을 이용한 기관지 찰과술

    i.   기관지 찰과술용 솔을 내시경의 채널 입구를 통해서 넣고 전진시킨다.

    ii.   솔을 솔 껍질 밖으로 밀어서 찰과물을 얻어낸다.

  iii. 솔을 다시 껍질 안으로 당겨서 집어넣고, 전체 솔을 꺼낸다. 솔을 공기로 빠르게 건조시키는데, 이 건조가 성공적인 배양에 결정적이다.

  iv. 솔을 잘라내서 생리식염수나 Ringer's lactate와 같은 수송용 액체에 넣는다. 항산균 검사용 검체는 최종농도 1–2% 소혈청알부민과 0.5% Tweeon 80이 첨가된 10mL Middlebrook 7H9 배지에 넣는다.

  v. 검체를 검사실로 보낸다.

  vi. 소아: 성인과 같다.

g. 기관지폐포세척액(bronchoalveolar lavage): 표준 검체(specimen of choice)

  i. 세척액은 기관지 내시경이 닿을 수 없는 작은 기도의 세포들을 씻어꺼내는 데 쓰인다.

  ii. 70 mL짜리 검체 트랩(specimen trap)을 연결한다.

  iii. 20 mL 정도의 검체량을 위해 강제적으로 100 mL의 비정균성 식염수를 채널을 통해서 주입한다.

   소아에서는 1–2 mL/kg 정도만 주입할 수 있다. 일반적으로 소아에서는 10 mL 이하만 회수된다. 만약 10 mL 이상 수집이 된다면, 검체를 원심분리하면 배양과 염색 모두 더 성공적인 결과를 얻을 수 있다.

  iv. 서너번의 주입 후 70 mL 트랩을 40 mL짜리 트랩으로 바꾼다.

  v. 트랩을 '1 [70 mL]', '2 [40 mL]'처럼 표기해서 검사실로 보내거나 무균적으로 각 트랩으로부터 10 mL 정도의 흡인액을 제거하여 무균 용기에 담아서 검사실로 보낸다.

h. 경기관 폐 생검(transbronchial lung biopsy) (항산균 및 진균 배양)

  i. 영상의학과의 X선 투시기(fluoroscopy)하에 시행한다.

  ii. 채널의 끝까지 천천히 생검용 포셉을 전진시킨다.

  iii. 포셉을 채널 밖으로 내보내어 폐 쪽으로 움직인다.

  iv. X선 투시기를 작동시킨다.

  v. 흉막(pleura)의 2.5 cm 내 범위로 포셉을 위치시킨 뒤 포셉을 열어서 폐 안으로 넣는다. 포셉을 닫아서 조직을 얻는다. 일반적으로 3개의 생검 조직이 필요하다.

  vi. 포셉을 닫은 채로 채널로부터 꺼낸다.

  vii. 조직을 1–2 mL 정도의 식염수가 들어있는 튜브에 넣고, 항산균 및 진균 배양을 위해 검사실로 보낸다.

C. 검체 정보 표기(Labeling)

1. 검체 트랩이나 튜브에 환자 정보를 기록한다.
2. 채취 시간과 시행한 술기를 포함하여 기록한다.
3. 필요한 배양을 명확히 기술한다.: 일반, 항산균, 진균

D. 수송(Transport)

1. 냉장하지 않는다.
2. 빨리 검사실로 수송한다.

E. 기타 추가설명(Comment)

1. 마취제에 의한 세균 성장 억제는 폐포 세척을 이용한 배양에서 주된 문제일 수 있다. 90% 이상의 수집된 검체가 마취제를 포함하고 있어, 이는 채취된 검체를 무용지물로 만들 수 있기 때문이다.
2. 기관지 찰과술에서 얻어디는 검체는 겨우 0.001 mL 정도이다. 이 검체를 즉시 수송용 액체에 넣지 않으면, 검체 건조로 인하여 세균이 금방 사멸한다.
3. 검체 채취 술기는 매우 숙련된 기술에 의해 행해져야 한다.
4. 기관지 내시경을 통해 얻는 검체는 구강 미생물에 의해 오염된다. 이러한 상재균의 숫자는 삼중-루멘(triple-lumen) 기관지 내시경에 의해 대폭 감소될 수 있다.
5. 대부분의 기관지 내시경 검체는 무산소배양을 시행하지 않는다. 만약 특수 검사가 필요 시 검사실에 자문을 구하라.
6. 기관지폐포세척액은 시행한 객담 배양에서 제대로 된 결과를 얻지 못했을 때 선택할 수 있다. 세척액의 정량 배양은 객담 검체의 검사보다 더 임상적으로 의미가 있다.

▦ 비강 검체(Nasal Specimens)

A. 선정(Selection)

1. 표준 검체는 콧구멍(nares) 안쪽 1 cm을 면봉으로 채취하는 것이다.
2. 코 안의 부위는 해당 부위의 진행하는 경계부위로부터 채취된 검체가 필요하다.

B. 채취(Collection)

1. 재료(Materials)
   a. 면봉, 수송배지 세트
   b. 비강 검안경(nasal speculum) (일부 환자에서 필요할 수 있음)
2. 방법(Method)
   a. 콧구멍 안쪽 1 cm 정도로 면봉을 조심스럽게 넣는다.
   b. 면봉을 회전시키고 10–15초 정도 그대로 두면서 점막을 잘 눌러서 검체를 채취한다.
   c. 면봉을 빼내서, 수송배지에 넣는다. 용기 안의 수송배지의 바이알을 깬다.

C. 검체 정보 표기(Labeling)

1. 환자 정보를 면봉 용기에 적는다.
2. 채취 부위가 있으면 기재한다.

D. 수송(Transport)

1. 가능한 빨리 검사실로 검체를 수송한다.
2. 냉장하면 안된다.

E. 기타 추가설명(Comment)

1. 감염 부위가 없는 상태에서는 일반적으로 콧구멍 앞쪽의 검체는 황색 포도상구균(*Staphylococcus aureus*)과 베타–용혈 연쇄상구균(beta-hemolytic strepto-cocci)만 검사를 한다.
2. 비강 배양은 부비동, 중이, 하부 호흡기의 감염을 반영하지 않으며, 이러한 부위의 검체를 대신해서 의뢰해서는 안된다.
3. 비강 검체로 무산소배양은 시행하지 않는다.
4. MRSA 보균자의 검출은 직장 등 인체 다른 부위의 검체를 통해서 증가시킬 수

있다. 이러한 부위로부터 두세 번의 음성 결과를 통해 환자가 더 이상 보균자가
아님을 알 수 있다. 어떤 이유로도, MRSA 보균을 이유로, 환자가 입원이나 요
양원이나 병원으로의 재입원을 못하게 해서는 안된다.

5. 소아: 비강 세척을 할 때 4 mL의 무균 식염수를 1-oz의 끝이 가늘어지는 동그
란 고무용기(rubber bulb)에 넣는다. 환자의 머리를 뒤로 70° 기울이고 고무용
기 끝을 코 안으로 코가 막힐 때까지 넣는다. 그리고 생리식염수를 짜서 넣는
다. 수 초간 두었다가 식염수를 다시 흡인하기 위해 짜서 누르고 있던 것을 푼
다. 액체를 무균 용기에 옮기고 검사실로 즉시 보낸다. 바이러스 배양을 위한
검체는 아이스에 넣어서 수송한다.

■ 비인두 검체(Nasopharyngeal Specimens)

A. 선정(Selection)

 1. 검체는 비강 또는 구강의 상재균으로부터 오염되는 것을 피해서 채취되어야 한
 다.

 2. 비인두는 코나 인두를 통해 작은 비인두 면봉을 넣어서 닿을 수 있다.

B. 채취(Collection)

 1. 재료(Materials)

   a. 비강 검안경(Nasal speculum) (선택적)

   b. 수송배지와 비인두면봉(Nasopharyngeal swab)

   c. 백일해가 의심되는 경우, Regan-Lowe medium과 같은 특수배지가 필요하
   다. 검사실에 미리 알려야 한다.

그림 23. 비인두 검체는 종종 부적절하게 채취된다. 비인두에 닿기 위해서 면봉은 코 끝으로부터 귀까지 거리의 반절 정도 넣어야 한다.

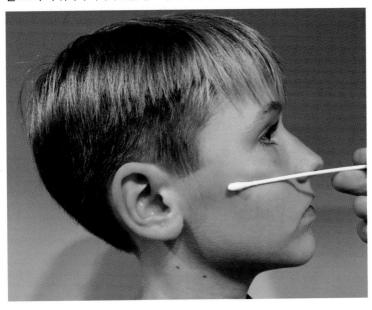

2. 방법(Method)

    a. 콧구멍 안의 과도한 분비물이나 삼출물을 제거한다.

    b. 만약 필요하다면, 비강 검안경을 넣는다.

    c. 면봉을 부드럽게 코를 통과시켜서 비인두로 넣는다. 깊이는 코의 끝부터 귀까지의 거리의 반절 정도의 거리이다(그림 23).

    d. 비인두 면에서 부드럽게 면봉을 회전시키고, 10–15초 흡수할 수 있도록 그대로 둔다.

    e. 면봉을 조심스럽게 제거하고, 수송배지에 넣는다. 냉장 온도에 보관하지 않는다.

    f. 검안경을 제거한다.

    g. 대안으로, 휘는 부분(wire)를 구부려서 목으로 넣는다. 면봉을 위로 진행시켜서 비인두에 넣을 수도 있다.

그림 24. 코와 비인두 부위의 해부학적 모식도. 비강과 비인두로부터 면봉으로 검체를 채취할 수 있는 반면, 부비동염의 원인을 검사하는 데 있어서는 바늘로 흡인을 해서 검체를 채취해야 한다.

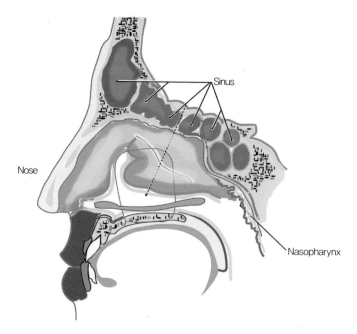

C. 검체 정보 표기(Labeling)

1. 환자 정보를 검체에 적는다.

2. 특히 백일해가 의심되거나, 가능하다면 의심하는 진단을 적는다.

D. 수송(Transport)

1. 냉장온도에 보관하면 안된다.

2. 검체를 검사실로 빠르게 이송한다.

E. 기타 추가설명(Comment)

1. 비인두 검체로 부비동 감염의 원인을 찾는 데 사용하면 안 된다(그림 24).

2. 비인두 검체는 주로 백일해를 진단하거나 수막구균(meningococcal) 보균 여부를 확인하기 위해서 이뤄진다.

3. 면봉 끝이 작은 비인두 면봉을 사용해서 일반 세균 배양을 하는 것은 권장되지 않는다.

4. 큰 면봉(Culturette-type)으로 채취된 검체는 표기된 정보와 상관없이 비인두가 아닌 비강에서 채취된 검체로 간주한다.

5. 소아 환자: 비인두 흡인은 Lukens trap 끝에 무균적인 흡인 카테터를 연결해서 카테터 끝을 저항이 느껴질 때까지 비인두에 밀어넣는다. 1–2 cm 정도 카테터 끝을 뺀 뒤 검체를 흡인한다.

■ 객담(Sputum)

A. 선정(Selection)

1. 객담은 세균성 폐렴의 원인균을 진단하는 데 있어서 가장 좋은 검체가 아닐 수 있다. 혈액이나 폐포 세척액 또는 경기관 흡인액이 더 정확할 수 있다.

2. 감염된 환자로부터 하부 호흡기 분비물은 상피세포가 없으면서 다수의 백혈구 존재 여부로 확인할 수 있다. 상피세포가 검체에 있는 경우 구강 내 상재균의 대량 오염을 알 수 있으므로, 감염을 대표하는 검체만을 배양해야 한다.

3. 환자에게 잘 작성된 주의사항을 주는 것으로, 부적절한 검체를 많이 감소시킬 수 있다.

4. 아침에 처음으로 채취하는 검체가 좋다. 배양에는 검체를 모아서는 안 되며, 검체를 모아서 검사를 하는 경우 진짜 병원체를 희석할 수 있다.

5. 하부 호흡기 유래 모든 검체는 *M. tuberculosis*을 검사하는 것에 준하는 검사실 안전 수칙을 지켜서 검체를 다룬다.

B. 채취(Collection)

1. 재료(Materials)

   a. 돌려서 막는(screw-cap) 무균 객담 채취용 컵(그림 25)

2. 방법(Method)

   a. 환자에게 객담과 침의 차이를 설명한다. 가능하다면, 객담을 뱉기 위해서 아침에 일어나서 큰 기침을 하도록 설명한다.

   b. 물로 입안을 헹군다. 틀니가 있다면 먼저 틀니를 뺀다. 기침하기 전에 두세 번 심호흡을 한다.

   c. 객담을 직접 바로 용기에 뱉어서 채취한다. 진짜 객담은 맑은 액체가 아니고 끈적거린다.

   d. 조심하면서 꽉 뚜껑을 막는다. 검체가 샐 경우 검사실에서 배양을 시행하지 않고 용기를 폐기하기 때문에 뚜껑이 잘못 닫히지 않도록 주의한다. 꽉 닫혔는지 뚜껑을 한번 더 확인한다.

   e. 검체가 담긴 뚜껑이 닫힌 용기를 검사실에 보내고, 바깥 부속품들은 폐기한다.

C. 검체 정보 표기(Labeling)

1. 환자 정보를 적는다.

2. 검체가 일반 배양인지, 항산균 또는 진균 배양인지 표기한다.

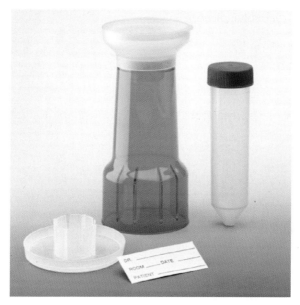

그림 25. 객담을 적절하게 채취하는 방법을 적은 안내문을 설명한 후 해당 안내문과 무균 처리가 되어 미리 포장된 객담채취 용기 세트를 환자에게 제공한다. 이러한 채취 용기는 객담이 깔때끼 모양의 채취 용기를 통해 채취되고, 검체가 들어있는 용기 부분만 떼내서 캡을 꽉 닫아서 사용한다.

D. 수송(Transport)

　1. 수송에 1–2시간 이상 지연이 예상되면 검체를 냉장 조건에 보관한다.

　2. 검사실로 빨리 검체를 보낸다.

E. 기타 추가설명(Comment)

　1. 세균에 의한 하부 호흡기 감염의 진단은 적절하게 채취된 한 번의 검체 채취로 도 충분하다.

　2. 진균이나 항산균 질환의 진단을 위해서는 3일 연속 아침 첫 객담의 검사를 의 뢰한다. 이 목적으로 주에 5일 이상 검체를 의뢰하는 것은 불필요하다.

　3. 객담의 무산소배양은 시행하지 않는다.

　4. DNA 더듬자(probe)를 이용한 직접 검사는 가능하다. 다른 신속 또는 분자진 단검사가 가능한지 검사실에 확인해라.

　5. 소아: 성인과 같다. 소아는 객담을 뱉지 못할 수 있으므로, 기관 흡인액이 소아 에서는 흔하게 채취되기도 한다.

▨ 기관 흡인(Tracheal Aspirate)

A. 선정(Selection)

1. 폐렴을 진단하는 표준 검체는 혈액배양 또는 경기관 흡인액이다.
2. 객담이 처리되는 방식으로 검체를 처리한다.
3. 기관절개 부위(tracheostomy)나 기관 내 삽관(endotracheal tube)을 통해서 검체를 채취한다.

B. 채취(Collection)

1. 재료(Materials)
   a. 채취 부위에 넣을 폴리에틸렌 카테터(Polyethylene catheter)
   b. 주사기 (20 ml) 또는 간헐적 흡입 도구(intermittent suction device)
2. 방법(Method)
   a. 카테터를 기관 내 채취 부위에 조심스럽게 넣는다.
   b. 주사기나 흡입기를 통해서 기관을 통해 분비물을 흡인한다.
   c. 카테터를 빼내어 제거하고, 연결된 주사기나 흡입 도구도 제거한다.

C. 검체 정보 표기(Labeling)

1. 환자 정보를 표기한다.
2. 검체의 채취 부위를 명확히 적는다.
3. 항균제를 투약 중인지 여부와 의심되는 질환 등을 적는다.

D. 수송(Transport)

1. 냉장하지 않는다.
2. 검사실로 빨리 검체를 보낸다.

E. 기타 추가설명(Comment)

1. 기관 내 삽관을 통해 채취되는 흡인액은 비인두 도말과 같은 문제점을 가지고 있다; 카테터가 상재균이 매우 많은 지역을 지나가기 때문에, 배양의 판독이 어렵다.
2. 기관 절개부위에 그람 음성 세균이 빠르게 집락을 이루기 때문에, 배양에서 이러한 균들의 분리는 폐렴의 원인균일수도 있으나 아닐 수도 있다. 그래서, 많은 양의 미생물이 있거나 염증 반응과 미생물의 연관성에 대해서 실제 임상적인 의미를 부여할 수 없다.

3. 식염수로 검체가 과하게 희석되는 것을 피해야 한다.
4. 소아 환자: 산소를 공급한 후 무균 흡입 카테터를 Lukens trap에 연결하고, 카테터를 기관내 삽관 부위에 저항이 느껴질 때까지 넣는다. 1–2 cm 정도 뒤로 뺀 뒤 검체를 흡인한다.

■ 경기관 흡인액(Transtracheal Aspirate)

A. 선정(Selection)

1. 경기관 흡인액은 의사에 의해 행해지는 외과적 술기(surgical procedure)이다.
2. 배양의 결과가 치료에 영향을 주고, 비침습적인 술기에 의한 결과가 유의하지 않거나, 감염으로 환자가 치명적인 상태, 또는 무산소성 감염이 의심되거나 환자가 의식이 없을 경우에 이 수기를 시행한다.

B. 채취(Collection)

1. 재료(Materials)
   a. 내카테터 바늘(Intracatheter needle)(14 게이지), 폴리에틸렌 카테터(16 게이지)
   b. 주사기(20 ml) 또는 간헐적 흡인 기구(intermittent suction device)
   c. 마취제
   d. 알코올, 요오드 전처리
2. 방법(Method)
   a. 채취 부위의 피부를 마취하고, 채취 부위를 준비한다.
   b. 반지방패막(cricothyroid membrane)을 통해 바늘을 삽입한다.
   c. 바늘을 통해 카테터를 기관 하부로 넣는다. 바늘을 제거한다.
   d. 주사기나 흡인기로 분비물을 흡인한다. 주사기 하나로 가능한 많은 액체를 흡인한다.
   e. 분비물이 적다면, 기침을 유도하기 위해 2–4 mL 정도의 소독된 식염수를 주사하는데, 통상적으로 충분한 검체량을 얻을 수 있다.

C. 검체 정보 표기(Labeling)

1. 정확한 검체 채취 부위와 환자 정보를 적는다.
2. 검체가 무산소성 검사가 필요한지, 흔하지 않은 미생물에 대한 검사가 필요한

지 적는다.

3. 냉장하지 않는다.

D. 수송(Transport)

1. 튜브가 붙은 채로 흡입 기구를 보내거나 흡인액을 포함한 주사기를 접수한다.

2. 수송 기구에 공기가 들어가면 안 된다. 일부 무산소균들은 산소에 의해 사멸할 수 있다.

3. 검체를 검사실에 빨리 접수한다.; 배양이 까다로운(fastidious) 균이 있을 수 있다.

E. 기타 추가설명(Comment)

1. 통제되지 않은 기침을 할 경우, 카테터가 구인두로 위치가 잘못될 수 있다. 이런 경우 위양성 결과가 보고될 수 있다.

2. 후두 아래 기관은 만성 호흡기 질환자나 기관 내 삽관 또는 기관절개 튜브를 가지고 있는 환자가 아니면 일반적으로 무균상태(sterile)이다.

3. 소아환자: 성인과 같음.

■ 인두 검체(Throat Specimens)

A. 선정(Selection). 배양이나 직접항원검사의 성공은 발적이 있는 인두부위로부터 채취하는 것에 온전히 영향받는다.

　1. 설압자를 사용해서 혀를 아래로 누르고, 인두 뒷부분의 염증이 있거나 삼출물이 있는 편도 부위를 확인한다.

　2. 이런 부위는 급성 인두염의 원인균의 배양에 있어 가장 좋은 부위이다.

B. 채취(Collection)

　1. 재료(Materials)

　　a. 다크론 또는 칼슘 알긴산면봉, 또는 깃털 면봉(flocked swab), 수송배지

　　b. 설압자

　2. 방법(Method)

　　a. 주의하면서, 면봉으로 삼출물이 있는 부위 또는 편도, 후두 뒤쪽을 꾹 누르면서 문질러서 채취한다(그림 26).

　　b. 면봉을 뺄 때 뺨이나 잇몸, 이빨에 닿지 않게 주의한다.

　　c. 면봉을 용기에 넣고, 수송 용기 내에 있는 수송배지의 바이알을 깨뜨린다.

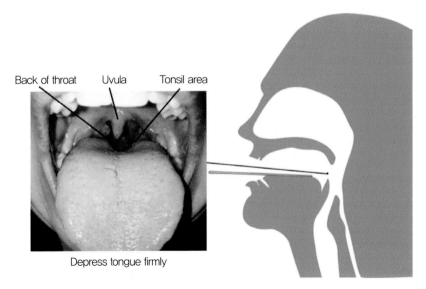

그림 26. 인두 검체를 얻기 위한 적절한 기술. 편도 부위나 인두의 발적이 있는 부분을 눌러서 문질러 채취하고 구강 내 다른 부위에 닿지 않도록 주의해야 병인체를 검출할 확률이 증가한다.

C. 검체 정보 표기(Labeling)

　1. 채취 시간을 포함하여 환자 식별자를 면봉 용기에 표기한다.

　2. 현재 투약중인 항균제를 기록한다.

　3. 배양, 직접항원검사, 연쇄상구균 선별을 위한 검사인지 표시한다.

　4. 연쇄상구균이 아닌, 예를 들어 *N. gonorrhoeae* 같은 다른 균을 의심한다면 정보를 적는다.

D. 수송(Transport)

　1. 가능한 즉시 수송한다.

　2. 1시간 이상 수송이 지연된다면, 냉장보관한다.

E. 기타 추가설명(Comment)

　1. 배양을 통해 연쇄상구균을 선별하여 그룹 A 연쇄상구균을 포함한 베타-용혈 연쇄상구균의 유무만을 보고한다. 인두 배양에서 그룹 A 연쇄상구균을 보고하는 것 외에 다른 연쇄상구균, *Haemophilus* spp., *Streptococcus pneumoniae*, *Pseudomonas aeruginosa*, *Staphylococcus aureus*, *Arcanobacterium* 등의 다른 잠재적인 호흡기 병원체들이 유의하게 자란 경우 등은 기관 내 처방의들과 동의한 바에 따라 보고한다.

　2. 모든 베타-용혈성 연쇄상구균은 동정하여 보고한다. 급성 세균성 인두염의 1차 원인균이며, 감수성 검사는 시행할 필요가 없다.

　3. *Haemophilus* spp.는 소아와 성인에서 정상 상재균이지만, 요청이 있을 시 소아 환자에서 보고될 수 있다.

　4. *N. gonorrhoeae*를 검출하기 위한 인두 배양은 요청 시 가능하나, 검사실에 반드시 요청이 전달되어야 한다.

　5. MRSA 선별을 위한 검사가 요청되어 MRSA가 의심되는 상황이라 하더라도, 항균제 감수성 검사는 인두에서 분리되는 균에서는 통상적으로 시행하지 않는다.

　6. 소아 환자: 성인과 같음.

소변 검체

정말, 기저귀에서 짜낸 소변으로 배양하길 원합니까?

Robert Jerris, Ph.D., (D)ABMM
Children's Healthcare of Atlanta, Atlanta, GA

일반 정보

A. 소변이 무균 체액이라는 초기 가정은 사실일 수도 있고 아닐 수도 있다. 또한 소변은 적은 수의 미생물로도 쉽게 오염될 수 있다. 소변은 많은 미생물에게 좋은 성장 배지와도 같아서 요도 또는 요도 주위에 정상적으로 존재하는 미생물에 의한 소변 검체 오염은 이런 미생물의 과증식을 허용하여 잘못된 배양 결과로 이어지게 된다.

B. 배뇨 시 통증, 절박뇨, 빈뇨를 보이는 유증상 환자에서는 진단을 위해 일반적으로 1개의 검체면 적합하고, 치료 시행 후 48–72시간 후에 추가 검체를 채취한다. 무증상 환자의 경우 2–3개의 검체가 필요할 수 있다. 신 결핵이 의심되는 경우, 아침 첫 소변 검체를 3회 연속으로 접수해야 한다.

C. 24시간 수집뇨는 배양에 부적합하다.

D. 요청서에는 환자의 증상 여부가 표시되어야한다. 이 정보는 특히 적은 수의 소변 검체의 정량적 배양 해석에 중요하다.

E. 상온에 보관된 소변은 병원균과 상재균의 증식에 취약하다. 채취 후 30분 이내에 배양이 어렵다면 모두 냉장보관해야 한다. 냉장보관된 소변 검체는 24시간 이내에는 배양해야 한다.

F. 검사실은 의료위원회 및 전문가들과 협업하여, 요분석상 양성 결과에 한해 배양을 시행하는 조건반사 정책을 개발할 수 있다. 이러한 정책은 검사의뢰서에 명시되어야 하며, 임상의들도 숙지하도록 해야 한다.

■ 카테터 소변

A. 선정(Selection)

1. 직선 요도 카테터로 채취한 소변은 적절한 검체이지만 카테터 삽입으로 인해 요도 상재균을 방광으로 밀어올릴 수 있으므로 세균뇨로 오인할 가능성이 있다.

2. 소변 백에서 얻은 소변은 배양에 적합하지 않다.

3. Foley 카테터 말단부는 요도 상재균이 존재할 수 밖에 없는 부위이므로 배양에 적절하지 않다.

4. 장기간 카테터를 삽입하고 있는 환자의 소변을 정기적으로 검사하는 것은 역학 조사 목적 외에는 권장하지 않는다. 이런 환자에게는 잠재적 병원균 집락이 흔히 관찰된다.

5. 제일 적합한 검체는 채취 포트를 이용해 유치 카테터에서 수집한 소변이다. 카테터에서 소변을 채취할 때 바늘이 불필요한 포트를 사용하는 것이 직원안전 확보에 도움이 된다.

B. 채취(Collection)

1. 재료(Materials)

   a. 21 게이지 바늘과 주사기

   b. 알코올 소독솜

2. 방법(Method)

   a. 필요시 카테터를 클램핑하여 소변을 채취할 수 있지만, 클램핑을 30분 이상 지속하지 않도록 한다.

   b. 알코올 솜으로 채취 포트(사용할 수 없는 경우에는 바늘 삽입부)를 소독한다.

   c. 바늘을 삽입하고 주사기로 소변을 채취한다.

   d. 소변을 멸균 컵이나 용기로 옮긴다.

C. 검체 정보 표기(Labeling)

1. 환자 정보를 검체에 표시한다.

2. 검사 의뢰서에 카테터에서 채취한 소변임을 표시한다.

D. 수송(Transport)

1. 채취 후 30분 이내에 검사실로 전달되지 않을 경우 소변을 냉장 보관한다.

2. 검사실에 접수 인력이 부재인 경우, 검체를 검사실 냉장고에 넣어둔다.

E. 기타 추가설명(Comment)

1. 검체를 채취하기 위해 카테터 백에서 카테터를 분리하지 말고 배양을 위해 소변백 내 요를 제출하지 않는다.

2. 유치 카테터는 보통 48-72시간이 지나면 집락화되며 보통 여러 균종이 혼합되어 있다. 균막(biofilm)이 중요한 역할을 한다.

3. 검사실은 소변이 오염 가능성이 있는 채취방법(자택에서 알 수 없는 방법으로 채취했거나 별도의 용기를 사용하는 등)으로 채취된 것은 아닌지 확인하기 위해 채취방법을 꼭 확인해야 한다.

4. 소아의 경우: 오염 측면에서 보면 치골상부 흡인이 가장 우수한 방법이지만, 이 방법은 소변량이 아주 작을 때에는 사용하기 어렵다. 카테터 삽입의 경우, 소구경 카테터를 윤활하여 요도에 부드럽게 삽입하여 소변이 흐르기 시작할 때까지 방광에 거치시킨다. 요도 오염 가능성을 고려하여 처음 몇 ml는 버리도록 한다. 그럼에도 불구하고 일부 검체에서는 오염이 발생할 수 있다.

■ 청결 채취 소변

A. 선정(Selection)

1. 아침 첫 소변이 선호된다.

2. 소변 중 첫 부분은 버린다. 첫 부분에는 요도 내 상재균이 다량 포함되어 있다. 중간뇨가 방광의 세균상을 대표한다.

3. 소아 환자의 경우 아래 설명과 같이 세 심하게 청소 한 후 끈이 달린 가방 장치를 사용하여 초기 검사를 한다.

B. 채취(Collection)

1. 재료(Materials)

   a. 멸균 나사마개 뚜껑 소변 용기(그림 27A) 및 / 또는 세균 배양 용 붕산 함유 용기(그림 27B)

   b. 항균 비누(일반 비누 사용 가능) 또는 상용화 전처리 상품, 일부 상업용 살균 비누 및 소독제는 요도 주변 부위를 자극할 수 있으며 채취 컵을 오염시킬 경우 배양시 세균 증식을 억제 할 수 있다.

   c. 거즈 스폰지

   d. 물

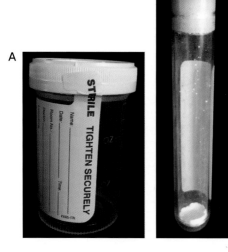

그림 27. 사전 포장 된 멸균 소변 채취 컵은 구두 및 서면 지침과 함께 환자에게 제공된다. (A). 방부제 (B)와 함께 소변을 특수 수송 용기로 옮길 수 있다. 이 단계는 일반적으로 의료진이 수행한다.

2. 방법(Method)

   a. 환자에게 다음과 같이 명확한 구두 및 서면 지침을 제공한다. "감염을 진단하려면 좋은 소변 검체가 중요하다. 다른 세균으로 검체를 오염시키지 않도록 채취 순서를 잘 숙지해야 한다."

여성을 위한 지침

   i.   변기에 편히 앉아 한쪽 무릎을 최대한 바깥쪽으로 뺀다.

   ii.   한 손으로 몸을 펴고 몸을 펴고 몸을 씻고 검체를 채취한다.

   iii.   검체를 채취하기 전에 잘 씻고 헹군다. 제공된 세척제를 사용하여 피부 주름 사이의 앞쪽에서 뒤쪽으로 성기 부위를 최대한 조심스럽게 닦는다.

   iv.   헹구기. 각 비누 패드로 씻은 후 물에 적신 패드로 앞뒤로 같은 동작으로 헹군다. 각 패드를 한 번만 사용한 다음 버린다.

   v.   손가락으로 컵을 바깥쪽으로 잡는다. 가장자리를 만지지 말아야 한다. 먼저 소량의 소변을 변기에 넣은 다음 컵에 충분한 양의 소변을 넣어 반만 채운다.

   vi.   컵에 뚜껑을 조심스럽게 단단히 닫거나 간호사에게 부탁한다.

남성을 위한 지침

   i.   포피를 집어 넣고 (할례를 받지 않은 경우) 귀두(성기의 머리)를 청소한다.

   ii.   위의 iii-vi 단계를 따라 자신을 청소하고 소변을 채취한다.

   a. 컵의 뚜껑이 단단히 고정되어 있고 잘못 끼워지지 않았는지 확인한다. 누출된 용기는 환자와 사람 모두에게 위험한다.

   b. 검사실로 즉시 가져가지 않을 경우 검체를 냉장 보관하십시오(30분 이내).

C. 검체 정보 표기(Labeling)

1. 환자 정보를 검체에 표지.

2. 환자가 증상이 있는지, 항생제를 복용하고 있는지 여부를 요청 양식에 표시한다.

D. 수송(Transport)

1. 세균 배양에 있어 방부제가 포함된 채취 용기를 사용할 경우, 채취 후 가능한

한 빨리 권장량의 소변을 용기에 옮긴다. 검사실로 보낼 때까지 제조업체의 지침에 따라 보관한다.

2. 오염 물질의 간섭을 최소화하기 위해 소아용 멸균 비닐 봉지의 소변은 접수 후 즉시 배양한다.

3. 정규 소변 검체는 무산소 배양에 부적합하다.

4. 소아의 경우: 성인의 감독 하에 3세 이하의 유아로부터 청결 채취 소변을 확보할 수 있다. 성인의 경우, 외부 요도를 세척해야만 한다. 세척 및 중간뇨를 채취하는 것이 소아 소변의 오염 감소에 의문의 여지가 있다고는 하지만, 이러한 채취 방법은 채취된 검체의 질을 유지시켜 줍니다. 영아의 경우 다음 배뇨 시 소변을 확보하기 위해 회음부 세척 후 작은 멸균 비닐 봉지를 피부에 붙이는 방법으로 채취가 가능하다. 이 방법으로 얻은 검체는 채취 후 30분 이내에 검사실로 운송해야 한다. 1회용 기저귀에서 채취한 소변은 배양에 사용하기 부적합하다.

■ 방광경 검체: 양측 요도 카테터 삽입

1. 방광경 검사 시작 전 충분히 수분을 섭취하도록 한다.

2. 폐쇄 장치가 부착된 방광경을 방광으로 진입시킨다. 배수 마개를 통해 방광에 저류된 요를 채취한다. 이 검체에 "CB"(Catheterized bladder urine)로 기재하고 냉장보관한다.

3. 2–3 리터의 멸균 세척액으로 방광을 세척한다.

4. 방광이 비어 있으면 크기 5 프랑스 폴리에틸렌 요관 카테터를 방광경을 통해 방광으로 통과시킨다.

5. 약 100 ml의 세척액을 주입한다. 수도꼭지를 닫고 요관 카테터를 통해 방광에서 액체를 배출한다. 배양 용 샘플을 채취하고 "WB"(washed bladder)라고 표시한다.

6. 각 요관 카테터를 각 요관의 중간 또는 상부로 전달한다.

7. 처음 5–10 ml의 소변은 폐기한다. 그 후, 멸균 용기의 각 요관에서 5–10 ml를 채취하고 용기 "LK"및 "RK"(왼쪽 신장 및 오른쪽 신장) 및 "1", "2" 또는 "3"을 표지하여 채취 순서를 나타낸다. 용기를 냉장보관한다.

8. 배양을 위해 모든 검체를 검사실로 운반한다.

9. 소아의 경우: 성인과 동일.

■ 소변 배양을 위한 치골 상부 흡인

A. 선정(Selection)

1. 이 기술은 요도 또는 회음부 상재균으로 인한 소변 오염을 방지한다.
2. 이 방법은 무산소성 요로 감염을 진단하는 데 필요하며 소아 환자, 척수 손상 환자 및 배양 결과를 제대로 확보하지 못한 환자에게 가장 많이 사용된다.

B. 채취(Collection)

1. 재료(Materials)

   a. 피부 소독제

   b. 국소 마취제

   c. 22 게이지 바늘과 주사기

   d. 멸균 소변 용기

2. 방법(Method)

   a. 배꼽에서 요도까지 소독하고 삽입 부위의 피부를 마취한다.

   b. 두덩결합과 배꼽 간 정중선에서 두덩결합 2 cm 상방을 통해 방광으로 바늘을 삽입한다.

   c. 방광에서 약 20 ml의 소변을 흡인한다.

   d. 검사실로 운반하기 위해 소변을 멸균 나사마개 채취 용기에 무균 상태로 옮긴다.

C. 검체 정보 표기(Labeling)

1. 환자의 나이를 포함하여, 환자 정보를 검체에 기입한다.
2. 검체가 방광에서 흡인한 소변임을 검사 요청서에 표기한다.
3. 무산소 배양 필요 여부를 표기한다.
4. 채취시점을 기재한다.

D. 수송(Transport)

1. 채취 후 30분 이내에 검체를 검사실로 이송하지 않을 경우 냉장보관한다.
2. 검사실에 검체를 받을 사람이 없으면 검사실 냉장고에 보관한다.

E. 기타 추가설명(Comment)

1. 무산소 배양은 요청 시에만 수행한다.

2. 소아의 경우: 이 술기는 끈으로 묶는 백이 연결된 장치(strapped-on bag device)로부터 양성 결과를 얻은 소아에서만 사용할 수 있다. 그리고, 소아의 경우 기저귀 등으로 인해 방대한 양의 피부 또는 장내 상재균이 기저귀 착용 부위에 존재하므로 피부소독을 반드시 수행해야 한다. 삽입 부위는 두덩 결합 1-2 cm 상부이다. 소변이 흐르는 것을 막기 위해 요도 개방 부위를 막은 후에 피부천자를 시행한다. 방광 내로 바늘이 진입하면, 소량의 소변을 흡인한다. 소아에서는 5 ml 이하의 소변이면 충분하다. 방광이 부분적으로 비어 있는 경우, 삽입각도로 인해 방광 상부를 바늘이 지나가게 되므로 흡인에 실패할 수도 있다.

■ 소변 검체: 방광 세척

방광 세척은 거의 사용되지 않지만 방광염 또는 신장염이 존재하는지 확인하는 데 도움이 될 수 있다. 원칙적으로 방광은 요도 카테터를 통해 헹구어 박테리아를 제거한다. 그런 다음 카테터에서 검체를 얻어 정량적으로 배양한다. 이후 검체는 이전에 방광에 있던 미생물로 인한 오염이 제거되어 신장에서 발생한 소변을 대표한다. 신장염이 있는 경우, 방광 세척 후 검체에서 많은 미생물이 분리되지만, 방광염에서는 세척 이후 검체에서 미생물이 분리되지 않는다.

1. 유치 카테터를 방광에 삽입한다.

2. 배양용으로 말단 요를 채취한다. 즉시 냉장 보관한다.

3. 정해진 양의 네오 마이신 용액(0.1–0.2%)을 주입한다. 일부 임상의는 엘라 스타제 (소 섬유소와 DNase의 혼합물)를 항균 용액에 추가한다. 항균 용액을 30분 동안 방광에 저류시킨다.

4. 2 리터의 무균 세척액으로 방광을 세척하고 방광을 비운다.

5. 10분 간격으로 세 개의 검체를 채취한다. 각각에 순서 및 채취시간을 기재한다.

6. 소아의 경우: 성인과 동일하다. 응급 상황에서 수 ml의 멸균 식염수로 세척하면 양이 충분하지 않은 소아의 방광염 진단에 도움이 될 수 있다.

■ 소변 검체: 요관돌창자연결(Ileal Conduit)

요관돌창자연결은 전체 방광 절제술 후 요관을 이식 할 수 있는 인공 방광의 형성과 같이 다른 관형 기관의 대체물로 돌창자 부분을 사용한다. 돌창자 근위부는 닫고, 원위개구부는 장루와 동일하게 피부에 연결한다. 돌창자창냄백에 소변을 채취한다.

1. 비뇨기기구를 제거하고 포함된 소변을 폐기한다(배양에 적합하지 않음).

2. 알코올 물티슈 또는 요오드 화합물로 창냄 구멍을 닦는다.

3. 무균적으로 멸균된 14번 Robnel 카테터(요관창냄의 경우, 10번이나 12번 카테터)를 창냄에 삽입하여 근막 수준까지 진입시킨다.

4. 카테터에서 배출된 소변을 멸균 용기에 모아 검사실로 직접 옮기거나 냉장 보관한다.

5. 성인의 경우: 카테터 크기를 제외하고 성인과 동일한다.

바이러스, CHLAMYDIAE, RICKETTSIAE 및 FUNGI

■ *Chlamydia* 배양

표 15는 클라미디아 시험을 위한 검체 채취 방법을 나열한다.

효소 면역 분석 또는 기타 항원 검출 방법을 위해 검체를 채취하는 경우 제조업체의 지침을 따르고 제공된 면봉을 사용한다. 일부 면봉은 적합하지 않을 수 있다. 일반적으로, 나무 재질의 면봉은 권장하지 않는다. Cytobrush 검체는 면봉보다 더 우수하다.

클라미디아 운송을 위한 특수 배지는 배양을 위해 필수이다. 소변은 배양 목적이 아닌, 남성 환자의 일부 검사에 사용할 수 있으므로, 제조사 지침을 확인하도록 한다. 검체는 냉장상태로 최대한 신속하게 운송한다.

표 15. 클라미디아 검사를위한 검체 및 채취 방법

검체	채취
직접 검사용	면봉으로 부위를 긁고 제공된 슬라이드에 면봉(최우선 방법)을 굴린다. 클라미디아는 상피세포 내에서 발견된다.
배양용	클라미디아는 원주 세포와 편평 세포를 감염시킨다. 따라서 세포를 얻기 위해서는 자궁 경관 영역(transition zone 또는 입구)에서 집중적으로 세포를 채취해야 한다. 클라미디아 운송배지에 면봉을 넣고 세포가 배지에 풀어지도록 강하게 털어준다. 그 후 면봉은 폐기한다. Cytobrush를 사용하는 것도 효과적이다.
눈	삼출물을 채취하지 말고 제거한다. 결막 부위를 문질러 채취한다.
림프절 흡인	운송배지와 동량의 검체를 넣는다.
코인두 흡인	운송배지와 동량의 검체를 넣는다.
객담	운송배지와 동량의 검체를 넣는다.
조직	운송배지와 동량의 검체를 넣는다.
요도	요도에 4–6 cm 면봉을 삽입하고 회전시켜 상피세포를 얻는다. 면봉을 제거하고 클라미디아 운반 매체에 넣은 다음 세게 흔들어 세포가 배지에 풀어지도록 강하게 털어준다. 면봉은 폐기한다.
세포학	공기 건조 도말 또는 긁어낸 것을 사용한다. 형광항체염색용으로 아세톤이나 알코올로 고정하거나 Giemsa 염색용으로 메탄올로 고정한다. Macchiavello 염색이나 Gimenez 염색을 위해서 가열한다.

소아의 경우: 성인과 동일하다. 신생아에서의 배양을 위해 결막이나 코인두 검체를 확보하거나 사춘기 전 아동에서 질 또는 요도 배양을 위해 검체를 확보하기 위해 면봉을 사용할 수 있다. 또한 클라미디아 항원 검사용으로 청소년의 회음부 검체를 확보할 때도 면봉을 쓸 수 있다. 이 경우, 법적으로 성적 학대 등을 입증하기 위해, 배양을 통해서만 감염을 진단할 수 있는 경우로 제한된다. 법률을 검토하도록 한다.

■ *Mycoplasma* 및 Ureaplasma spp.에 대한 검체

Mycoplasma spp.의 검출을 위한 검체, 혈액 및 기타 체액과 같은 다른 검체를 제출할 수 있지만 일반적으로 호흡기 또는 비뇨 생식기 기원이다. 주의 깊게 채취한 인후 면봉과 이른 아침 가래 검체의 검체는 호흡기에서 이 유기체를 검출하는 데 모두 유용하다. 인후 검체의 경우 감염된 부위를 단단히 샘플링하여 점막 세포를 얻는 것이 중요하다. 면봉을 먼저 운반 매체에 담그고 교반한다. 그런 다음 면봉에서 액체가 흘러 나오고 면봉은 운반 전에 제거되어 폐기된다. 검체는 마이코 플라스마 성장 배지, 혈청이 풍부한 영양 배지 또는 자당−인산 수송배지(2SP)에 운반 및 보관될 수 있다. 2SP 배지는 클라미디아 분리를 위한 검체의 수송에도 사용할 수 있다. 이상적으로는 6시간 이내에 배양해야 하지만 검체는 최대 24시간 동안 4℃에서 보관할 수 있다. 장기 보관은 −70℃ 여야한다.

*Ureaplasma*와 *Mycoplasma* spp는 비뇨 생식기에서 분리될 수 있다. 남성의 경우 요도 면봉이 일반적으로 사용된다. 연체 동물은 일반적으로 질염과 관련이 없지만 여성의 질, 자궁 경부 또는 요도 면봉을 제출할 수 있다. 소변도 분석을 위해 제출할 수 있지만 면봉 검체보다 적은 유기체를 생성한다. 운송 및 보관 조건은 호흡기 검체와 동일하다.

■ 곰팡이 검체(진균 검체)

A. 선정(Selection)

1. 곰팡이 배양을 위한 검체는 다음에 대한 박테리아 배양에 대해 설명된 대로 채취된다.

    a. 상처와 농양

    b. 혈액(특수 병 또는 lysis 원심 분리 방법을 사용할 수 있다. 검사실에 문의한다.)

    c. 체액(최대 50 ml, 면봉 사용 불가)

    d. 피부 궤양(활성 가장자리의 펀치 생검. 의심되는 포자 성 병변의 주변과 기저부를 닦는다.)

    e. 담

    f. 조직

    g. 오줌

    h. 외음부

2. 검사실 평가를 위해 영향을 받은 모발, 피부 및 손톱을 선택한다.

3. 입과 질의 점막은 혀 억압기로 긁어 낼 수 있다. 식염수로 자료를 제출한다.

B. 채취(Collection)

1. 재료(Materials)

    a. 집게

    b. 메스

    c. 소독용 알코올 70 %

    d. 멸균 용기 또는 깨끗한 봉투

    e. 망사

    f. 우드 램프

2. 방법(Method)

    a. 머리. 집게로 영향을 받은 모발을 10–12개 이상 제거한다. 깨끗한 용기나 작은 봉투에 넣는다. 습기가 축적되면 시편이 오염될 수 있으므로 스토퍼 용기를 사용하지 말아야 한다. 목재 램프 아래에서 형광을 발하는 머리카락을 선택한다.

    b. 피부. 70 % 알코올로 피부 표면을 청소한다. 병변의 활성 가장자리에서 피부 표면을 긁어 내고 표면 물질을 제거한다. 피부를 긁을 때 피를 뽑지 말아야

한다. 스크래핑을 깨끗한 봉투 또는 유리 용기에 넣거나 두 개의 유리 슬라이드 사이에 넣은 다음 함께 테이프로 붙여야 한다.

 c. 손톱. 샘플링 할 손톱에서 매니큐어를 제거한다. 거즈(면이 아님)에 70% 알코올로 손톱을 닦는다. 손톱 아래에서 잔해물을 모아 깨끗한 봉투나 유리관에 넣는다. 손톱의 바깥 쪽 표면을 긁어 내고 긁힌 자국을 버린다. 손톱의 더 깊고 병든 부위에서 긁힌 자국을 모아 이전에 손톱 아래에서 채취한 재료에 추가한다. 손톱 자른 것도 제출할 수 있다.

C. 검체 정보 표기(Labeling)

 1. 환자 정보를 검체에 표시한다.

 2. 검체 출처를 명확하게 식별.

 3. 가능한 경우 의심되는 진단을 기록한다.

 4. 봉투가 봉인되었는지 확인.

D. 수송(Transport)

 1. 검체를 냉장하지 않는다. 실온에서 제출한다.

E. 기타 추가설명(Comment)

 1. 곰팡이는 천천히 자라기 때문에 배양하는 데 몇 주가 걸릴 수 있다. 염색 결과를 더 빨리 확인할 수 있다. 일부 검체는 dermatophyte 배지에 직접 넣을 수 있다.

 2. 전신 감염의 경우 급성 및 회복기 혈청의 필요성을 고려한다.

 3. 항상 피부 병변의 주변(전진 가장자리)을 샘플링한다.

 4. 작은 접시에 적신 멸균 거즈 조각 사이에 생검 재료를 넣어 촉촉하게 유지한다.

 5. 효모를 위해 질을 면봉하거나 포자성 궤양을 면봉하는 데 사용하는 경우를 제외하고는 일반적으로 진균 검체 채취에 면봉을 사용하지 않는 것이 좋다.

 6. 소아 요구: 성인과 동일하다.

> *우리는 가장 민감하고 정교한 분석을 사용하는 가장 숙련 된 기술자를 보유 할 수 있지만 불량한 검체를 보충 할 수는 없습니다.*
>
> **Wallace H. Greene, Ph.D., ABMM**
> **M. S. Hershey Medical Center, Hershey, PA**

■ 리켓치아 검체(Rickettsial Specimens)
(로키산 홍반열, Rocky Mountain spotted fever)

일반적으로 리켓치아 질환은 임상적으로 진단되나, 검사실에서 환자 조직으로부터 직접 검출, 조직으로부터 병원체의 분리, 리켓치아 항체에 대한 혈청 검사로 진단이 되기도 한다(33). 대부분의 경우 급성기 혈청(질환 초기)과 회복기 혈청(1–3주 뒤 채취)을 가지고 혈청학적 진단하는 경우가 최선의 접근법이다.

표준 진단법(method of choice)은 형광 현미경(fluorescence microscopy)을 통한 진단이다. 조직 생검은 반점(macule)이나 점상출혈을 확인해서 잉크로 직경 1 mm 정도의 작은 점을 중심에 표시한다. 3 mm 펀치 생검으로 진피를 포함하여 전체 두께로 잉크로 표시한 전체를 채취한다. 밀봉된 용기에 넣어서 드라이아이스로 조직을 얼린다.

이런 미생물의 배양은 생물학적 위험이 명확하므로, 표준 검사실(reference laboratories)에서만 배양을 해야 한다.

소아 환자: 성인과 같음

■ 바이러스 검체

적절한 분석 전 검체 관리 업무는 바이러스 감염의 검사 결과에 중대한 영향을 준다. 예를 들어 바이러스 수송배지의 제조사는 구성품 외에도 권장 수송 시간, 수송 온도, 검체 채취 기구를 어떻게 사용할지를 설명하는 설명서를 제공한다. 표 16에 바이러스 검사용 검체의 채취 방법이 나와있다.

기관 내 검사(외부 검사실로 의뢰하지 않는 검사)의 경우 검사실까지의 수송 시간은 2시간 이내가 이상적이며, 배양을 제외한 대부분의 검사는 실온에서 결과가 잘 나오지만, 제조사들은 종종 얼음이나 저온 팩과 함께 수송할 것을 추천한다. 24시간 이송이 지연될 경우에는 −60℃, −70℃, 또는 드라이아이스와 함께 수송할 것이 권장되지만 −20℃에서는 수송해서는 안 되며, 나머지 경우에는 냉동해서는 안 된다(23, 24). 그러나 이런 온도 조건은 RSV, CMV, VZV 검사 결과에 영향을 줄 수 있다(35).

검체 채취는 질병의 시기를 고려해야 한다. 바이러스의 배출은 바이러스의 종류, 감염 부위, 숙주의 반응에 따라 달라진다:

- 전구증상 – 전 증상 – 배출이 이때 시작될 수 있다.
- 급성기 – 배출 감소; IgM 출현
- 회복기 – 배출 종료; IgG 출현

때때로 새로운 바이러스가 출현해서 공중보건상의 문제가 되기도 한다. 이런 상황에서는 지역사회 의료기관에서는 어떻게 검사실 진단을 받아야 하는지에 대한 정보가 없거나 다수 의견이 정립되지 않은 경우도 많다. 이러한 상황에서는 지역 보건당국이나 중앙 보건당국에 검체 관련 사항에 대해 협의해야 한다. CDC는 신종 바이러스 질환과 관련된 검증된 정보를 주도적으로 제공할 것이다. 가장 최근의 사례는 태아 발달에 심각한 장애를 주는 Zika 바이러스가 있다. 가장 최신의 검체 채취와 검사 지침은 CDC나 관련 당국의 홈페이지를 참조하도록 한다.

수송 조건은 매우 중요하며, 부적합한 수송 조건 때문에 바이러스 생존력이 영향을 받을 수 있다(34). 예를 들면 다음과 같다.

- RSV는 열에 약하다. 37℃에서는 24시간이면 90%가 감염력을 소실하지만, 4℃에서는 4일이 걸린다(36).
- 아데노바이러스는 M4RT 배지 상태에서 실온에서 5일간 안정하다(37).

표 16. 바이러스 검사의 검체와 검체 채취 방법

검체	채취 방법
기관지폐포세척액	세균 배양과 동일하게, 굴곡 광섬유 기관지내시경
자궁경부	자궁경관내막까지 면봉을 삽입한 후 10초 동안 부드럽게 회전
눈(결막, 각막)	세균과 동일
위장관(대변, 직장 도말물)	세균과 동일
생식기 부위	26게이지 바늘과 투베르쿨린 접종용 주사기로 바늘의 날을 위쪽으로 향하게 해서 수포액을 흡인한다. 또는 신선한 수포를 딴 다음 면봉이나 메스의 날로 병변 아래쪽을 강하게 긁는다. 오래된 수포는 바이러스가 남아 있지 않다.
비강 세척	1온스 용량의 고무 흡인기구와 3–7 mL의 인산염완충액(PBS)을 사용한다. 환자의 머리를 70°가 될 때까지 뒤로 젖힌 다음, 공을 한 번 쥐어짰다가 다시 빨아들인다. Flocked swab 면봉도 비슷한 효과를 보일 수 있다.
비인두도말	세균과 마찬가지로 알긴산 칼슘 면봉으로 채취한 후에 바이러스 수송배지에 넣는다.
피부 병변	26게이지 바늘과 투베르쿨린 접종용 주사기로 바늘의 날을 위쪽으로 향하게 해서 수포액을 흡인한다. 또는 신선한 수포를 딴 다음 면봉이나 메스의 날로 병변 아래쪽을 강하게 긁는다. 오래된 수포는 바이러스가 남아 있지 않다.
객담	세균과 마찬가지로 추천 검체가 아니다.
인후 도말	세균과 마찬가지로 면봉과 바이러스 수송배지로 채취한다. 바이러스 수송배지를 이용해 5초간 양치한 후에 컵에 뱉어낼 수도 있다.
요	세균과 마찬가지로 2–3일간 이른 아침 검체를 채취한다.
질	질에 면봉을 삽입 후 질 벽을 따라 강하게 문지른다.
혈액	헤파린 시험관에 혈액 5 mL를 채취한 후, 림프구와 다형핵백혈구를 제거한다. 혈청검사를 위해서는 급성기 회복기 검체를 모두 채취할 수 있다.
조직	세균과 동일.

- 채취 후 1시간 이내 즉시 수송하는 것이 이상적이지만, 2시간까지도 허용할 수 있다.

- 대부분의 검체는 실온이나 4℃(얼음/저온팩)에서 수송할 수 있으나, 혈액과 뇌척수액은 실온에서 수송해야 한다.

소아 환자에서 고려 사항: 소아 환자에서 바이러스 감염 검사용으로 적합한 검체는 비강 세척액, 비강 흡인액, 비인두도말 내용물, 기관흡인물, 기관지 폐포세척액, 뇌척수액, 대변, 직장도말 내용물, 요, 혈액, 조직, 수포를 포함한 표피 발진이 있다. 면봉 나 소량의 생검 검체는 바이러스 수송배지에 넣어서 얼음과 함께 검사실로 수송해야 한다. 큰 생검 검체나 체액 검체는 멸균 용기에 넣어서 보낼 수 있다.

  바이러스 유무의 확인을 위한 혈액 검사는 보통 백혈구연층(buffy coat)과 백혈구의 배양을 포함한다. 건강한 숙주에서는 바이러스 혈증의 시기가 상대적으로 짧기 때문에, 일반적으로 바이러스 배양 검사는 면역저하 환자에서 유용하다. 이식을 받거나 항암 치료를 받는 소아 환자는 호중구 감소증이 있는 경우가 많고, 채혈량도 보통 2 mL 미만이기 때문에, 백혈구 연층 안의 세포 농도를 최적화하는 백혈구 추출 방법이 필요하다.

> *의사나 간호사 검체 채취 정보를 알려줄 때마다 우리의 바이러스 양성률이 두 배씩 증가한다.*
>
> C. George Ray, M.D.
> St. Louis University Medical Center, St. Louis, MO

창상 검체

일반 사항

A. "창상", "눈", "귀" 같은 일반 용어는 검체 채취 부위를 묘사하는 데는 부적절하다. 특정 해부학적 부위의 명칭이 요구된다.

B. 의뢰 시에 창상 표면, 심부 혹은 외과 창상인지를 구별해주어야 한다(그림 28). 창상 표면의 검체는 무산소성 배양을 하지 않으며 창상 심부 검체는 시행한다.

C. 피부 오염에 대해서 주의하는 것이 중요하다.

D. 창상 배양의 질은 그람염색으로 판단해야 한다. 상피세포가 있으면 피부 상재균의 오염을 의미하며, 배양 결과의 의미를 판단하기 어려워질 수 있다. 많은 미생물학자들이 100 × 배율에서 적은 양의 편평 상피세포(약 5개)가 있는 창상 검체를 무산소성 검사하는 것에 있어 동의하지 않는다(2, 25).

E. 대표성 있는 검체는 병변에서 진행하는 변연부에서 채취하는 것이며, 농이나 삼출물만은 아니다. 병변의 변연부와 농양 벽을 면봉으로 철저히 채취하는 것이 중요하다 (3).

그림 28. 창상 검체는 최소한 "표면 창상" 혹은 "심부 창상"을 표기해야 한다. 검사실은 이 정보를 의지해서 적절한 배양 배지를 선택하고 결과를 해석한다.

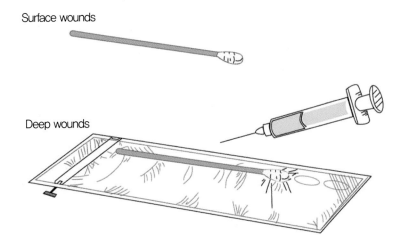

Surface wounds

Deep wounds

F. 무산소성 검사를 위해 이상적인 검체는 흡인액이며 면봉이 아니다. 무산소성 수송 배지는 무산소성 배양 요청이 있으면 접수되어야 한다. 무산소균은 대기 환경에서는 생존할 수 없다.

G. 사용해야 하는 면봉의 유형과 관련해서는 FDA에서 승인된 검사 용품 중에서 제조사 지시를 따른다.

■ 귀(중이염) 검체

A. 선정(Selection)

1. 감염이 고막 안쪽에 일어나기 때문에 면봉은 중이염 진단에 사용할 수 있는 검체로 권장할 수 없다. 면봉을 사용하면 외이도의 상재균이 검체를 오염시키기 때문에 임상적으로 명확한 균성장의 해석을 어렵게 하고 오판독을 유발한다.

2. 이상적인 검체는 고막 안쪽의 흡인액이다(그림 29). 내이의 액체는 감염 상태를 의미하고 외이도의 상재균을 의미하지 않는다.

3. 작은 면봉 검체는 고막이 천공되어 액체를 채취할 수 있을 때만 사용해야 한다. 먼저 외이도를 깨끗이 소독해야 한다.

4. 중이염의 진단은 보통 임상적으로 한다. 고막천자는 통증이 있으며 어린 아동과 치료에 반응을 하지 않는 만성 중이염 환자에서만 시행해야 한다.

그림 29. 귀의 모식도. 면봉은 중이염의 이상적인 검체가 아니다. 이는 면봉이 감염된 부위에 명확히 닿을 수 없기 때문이다. 검체 채취를 위한 귀에 대한 준비가 적절한 검체를 얻기 위해서 중요한 단계이다.

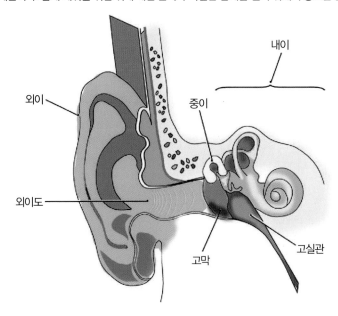

B. 채취(Collection)

    1. 재료(Materials)

        a. 고실절개기

        b. 이경

        c. 귀포셉

        d. 흡입기구(주사기와 바늘)

        e. 마취기

        f. 면봉과 소독제

    2. 방법(Method)(고막천자)

        a. 소독액으로 외이도를 씻는다. 소독한 후에 의사가 준비될 때까지 소독거즈로 귀에 팩킹을 해둘 수 있다.

        b. 절개가 심한 통증을 유발하기 때문에 환자를 전신마취할 수 있다.

        c. 의사는 외과적으로 고막에 절개를 하고 배액관에 최대한 액체를 많이 채취한다. 대체방법으로 3.5 인치 22 게이지 척추 바늘을 30도로 꺾어서 끼운 1 mL 투베르쿨린 주사기를 고막을 통해 찔러서 액체를 흡인할 수 있다. 배액으로 나오는 물질은 소독된 면봉을 채취할 수 있다. 이경은 외이도 상재균의 오염을 방지하는 데 도움이 된다.

        d. 주사기나 배액관에서의 물질은 무산소수송 바이알로 흡인하거나 마개가 있는 주사기로 직접 접수할 수 있다.

C. 검체 정보 표기(Labeling)

    1. 라벨에 "귀"라고 명기하지 않는다. 액체를 채취했을 때는 "고막천자액"이라고 적절하게 명기해야 한다.

    2. 환자의 정보를 표시한다.

    3. 환자의 나이와 적절한 병력을 표시한다(예, "치료에 반응이 없는 만성중이염")

    4. 무산소수송방법을 사용하지 않으면, 무산소배양을 요청하지 않는다.

D. 수송(Transport)

    1. 검체를 냉장하지 않는다.

    2. 검사실로 신속하게 이송한다. 실온에서 보관한다.

E. 기타 추가설명(Comment)

1. 소독제로 귀를 소독하고 식염수로 씻은 후에 외이도염 검체를 채취한다. 소독 후에 눈에 보이는 병변을 면봉으로 강하게 문질러서 수 분 동안 외이도에서 검체를 채취한다.

2. 고막천자는 드물게 시행되지만 배양을 위한 검체를 채취하기 위한 이상적인 방법이다.

3. 소아 요구 사항: 이염은 학령기 이전 아동에서 흔하다. 고막천자는 이상적인 검체 채취 방법이다. 고실절개술을 시행한다면, 배액관을 통해서 얻는 액체는 검사실로 이송하기 위해 소독 바이알이나 주사기에 채취할 수 있다.

■ 눈 검체

A. 선정(Selection)

　1. 검체를 명기할 때, "눈"이라고 하지 않는다. 검체를 정확히 다음과 같이 특정한다: 예, 눈꺼풀 변연부, 결막, 각막, 유리체(그림 30). 좌안인지 우안인지도 특정한다.

　2. 농양성 각막염과 안내염 같은 중증 안구 감염에서 의사와 임상미생물 전문가는 의사소통을 통해 적절한 배지와 수송시스템을 갖추어야 한다. 세균에 대해서는 초콜렛 배지가 보통 전반적으로 좋은 배지이다.

　3. 검체 채취 방법은 안구 감염 부위에 따라 다르다(아래에서 확인). 양안 결막염에서 검체의 배양은 한 쪽 눈에서만 하면 된다.

　4. 결막 검체에서 감염 부위에서 두 개의 도말 검체가 이상적으로 필요하다: 하나는 배양, 하나는 그람 염색. 눈꺼풀 변연부, 결막, 각막에서 찰과 검체가 도말 검체보다는 더 좋은 그람 염색 결과를 얻을 수 있다.

B. 채취(Collection)

　1. 재료(Materials)

　　a. 소독한 기무라 스파툴라(spatula)나 찰과 기구

　　b. 소독한 calcium alginate 면봉, 포장당 2개

　　c. 소독 면봉, 포장당 2개

그림 30. 눈의 모식도. 눈 감염의 양상과 중증도에 따라 검체 관리를 위한 세부 사항과 분석을 위해 접수하는 검체의 정확한 기술에 대해서 특별히 신경을 써야 한다.

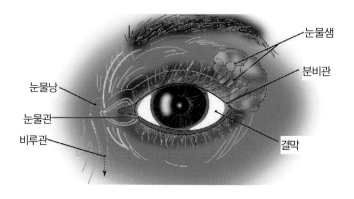

    d. 프로스트, 애칭 유리 슬라이드

    e. 미세슬라이드 고정대

    f. 알코올 솜

    g. 무보존제, 단위 용량 0.5% 테트라케인

    h. 연필이나 라벨링용 마커

2. 방법(Method)

    a. 표 17에 방법 명시. 좀 더 세부적인 미생물학적 내용은 Cumitech 13B를 참조하라(38).

표 17. 눈에서 검체를 취하는 방법

진단	검체 채취 부위	방법
안와주위 연조직염	농양 배액	폐쇄 농양에 대해서 피부에 천자를 한다. 위쪽 눈꺼풀 농에 대해서 눈꺼풀의 바깥쪽 1/3과 안쪽 2/3 지점이 만나는 곳에서 눈썹 아래쪽에 절개를 한다. 아래 눈꺼풀 농에 대해서 하부 안와 경계 위 1~2 cm에서 제일 변동되는 부위에 절개를 한다. 개방 창상이나 배액 부위에 대해서 인접 피부를 철저히 소독한다. 바늘과 주사기 사용은 보통 필요하지 않다. 무산소수송 바이알에 담은 배액을 접수한다.
급성 안와 연조직염	농양 배액(생검)	안와와 부비동에 대한 X-ray와 CATa 스캔이 진단에 도움이 된다. 개방 창상이나 배양 부위에 대해서 바늘과 주사기로 흡인한다. 주사기나 무산소수송바이알에 담아서 접수한다. 뼈막밑농양, 안와내농양, 감염된 부비동에 대해서 본 방법을 사용한다. 부비동 흡인액은 안와연조직염의 원인균을 밝힐 수도 있다.
누소관염	누소관 검체	눈꺼풀과 누소관을 눌러서 농성 물질을 짜낸다. 이 검체의 그람염색은 *Actinomyces* spp. 같은 전형적인 세균의 형태를 밝힐 수 있다. 기무라 스파툴라는 배양배지에 검체를 옮길 때 사용할 수 있다.

표 17. 눈에서 검체를 취하는 방법   (계속)

진단	검체 채취 부위	방법
급성 누낭염	결막	누낭의 벽을 통해서 경피 흡인을 하거나 절개를 하면 누공을 만들고 낭의 압력을 줄일 수 있으며 배양을 위한 검체를 취할 수 있다. 누공은 누강비강문합술을 하면 해소된다. 면봉에 액체 배양액을 적시고 결막 검체를 취한다. 주사기와 바늘로 누낭에서 배액 물질을 흡인한다.
안검염	안검 변연부	바이러스성: 바늘 흡인으로는 액체가 충분하지 않을 수 있다. 바이러스에 대해서 수포 검체를 배양하고 면역형광검사에도 사용한다. 세균성: 면이나 calcium alginate 면봉으로 환자의 눈물이나 배양액으로 적셔서 안검 변연부 앞쪽과 오른쪽 위아래 안검의 궤양 부위를 문지른다. 안검 변연부 검체를 혈액이나 초콜렛 배지에 접종한다. 좌우에 따라 좌 혹은 우라고 표기한 배지에 접종한다. 양안이 감염된 경우, 원인은 동일할 수 있다. 초콜렛 배지 위의 R 혹은 L 표기 위에 면봉으로의 접종을 수직 혹은 수평으로 스트리킹을 해서 결막임을 표시한다. 더 많이 자라는 쪽에 따라서 감염의 근원이 결막인지 안검의 변연부인지 확인할 수 있다.
결막염	결막	국부 마취제를 놓기 전에 검체를 취한다. 삼출물이 없으면, 배양액으로 면이나 calcium alginate 면봉을 적신다. 이를 감염된 눈의 하검결막과 눈구석결막에 대고 문지른다. 추가 면봉으로 그람염색 위한 검체를 취할 수 있다. 의뢰에 따라 바이러스나 세균 수송용기를 사용한다.

C. 검체 정보 표기(Labeling)

1. "눈"이 아니라 실제 진단명을 검체에 표기한다.

2. 검체를 우안에서 취했는지, 좌안에서 취했는지 표기한다.

3. 환자 정보를 라벨에 표기한다.

표 17. 눈에서 검체를 취하는 방법   (계속)

진단	검체 채취 부위	방법
각막염	각막	각막 도말이나 면봉으로 전방구액을 취해 접수하지 않는다. Calcium alginate 면봉으로 결막 검체를 취하고 초콜렛 배지에 C 모양으로 한 번 스트리킹을 한다. 진균이 의심되면 두 번째 면봉은 진균 배지에 사용한다.
		스파튤라나 15번 수술용 칼날을 사용해서 각막 궤양을 찰과한다. 마취 후에 차갑게 한 스파튤라로 농이 생긴 부분의 표면을 짧고 약간 힘을 준 채 한 방향으로 취한다. 속눈썹이나 안검을 만지지 않는다. 찰과 검체를 사용해서 초콜렛 배지에 C 모양으로 접종하고 도말을 한다. 바이러스 각막염에 대해서는 바이러스 수송 바이알에 결막 삼출물과 찰과 검체를 취하는 것이 필요하다. 바이러스는 맹낭(cul-de-sac)의 눈물에 보통 존재하는데 따라서 결막 바이러스 배양이 유용하다.
안내염	창상 농양, 누공, 안구내액, 결막(다른 부위에서의 오염을 확인하기 위해)	결막 배양은 단독으로 사용하면 임상적으로 얻을 수 있는 정보가 많지 않다. 농성 창상 농양 검체를 취하면 도움이 될 수 있지만 수술실에서 환자의 안구내액을 흡인할 때 제일 유용한 정보를 얻을 수 있다.
		전방이나 유리체액을 취한다. 바늘 흡인이나 이상적으로 유리체절제술로 유리체액 1–2 mL을 채취한다. 배지는 침상에서 바로 사용할 수 있어야 한다.

[a]CAT, computed axial tomography

D. 수송(Transport)

1. 많은 검체는 검체 채취 장소에서 접종해야 한다(예, 안과 외래). 채취한 물질의 양이 적으면 빨리 건조되기 쉬우며 이는 병원체의 활성이 상실되게 한다.

2. 필요하면 무산소성 이송을 하지만 결막 검체는 해당되지 않는다.

3. 이송을 위한 바이러스 수송배지는 차갑게 유지한다.

4. 소아 요구 사항: 성인과 동일

■ 피부, 결합조직 검체(창상, 농양, 화상, 삼출물)

A. 선정(Selection)

  1. 채취해야 할 검체는 의심되는 병원체보다는 감염의 범위와 특성에 따른다.

  2. 대부분의 개방성 창상에서 표면의 상재균을 제거하고 병변이 진행되는 변연부나 병변의 기저부에서 힘을 줘서 검체를 채취한다.

  3. 건조하고 가피가 덮힌 창상은 삼출물이 있지 않으면 배양이 권장되지 않는다.

  4. 폐쇄성 농양은 선택해야 하는 검체 채취 부위이다. 삼출물과 농양벽에서 검체를 채취한다.

  5. 개방성 농양은 다른 개방성 창상처럼 창상에서 오염 제거를 먼저해야 한다.

  6. 화상 창상에 대한 배양은 광범위한 세척과 죽은조직제거술 이후에만 시행한다. 생검 검체가 추천된다. 화상 표면의 정량 배양은 의미가 있을 수도 있고 없을 수도 있다.

  7. 선택해야 하는 검체는 병변이 진행하는 변연부나 기저부에서 채취해야 하고 농양만은 아니다. 삼출물을 제거하여 창상의 내부에서 검체를 채취하도록 한다.

B. 채취(Collection)

  1. 재료(Materials)

   a. 피부 소독제

   b. 소독된 면봉

   c. 주사기와 주사바늘

   d. 무산소성 혹은 산소성 수송배지

  2. 방법(Method)

   a. 파열되지 않은 농양. 면봉으로 검체 채취하지 않는다. 농양을 덮은 피부를 소독하고 주사기로 농양 내용물을 흡인한다. 절개하고 배농한 후에 농양벽 부분을 배양을 위해 접수한다. 무산소성 수송 용기에 검체를 채취해서 접수한다.

   b. 개방성 창상과 농양. 피부를 소독해서 피부 상재균을 가능한 많이 제거한다. 삼출물을 제거하고 병변의 기저부나 변연부에서 면봉으로 힘을 주어 검체를 채취한다. 산소성 수송배지에 면봉 검체를 넣어서 접수한다. 삼출물 검체에 대해서도 산소성 배양을 할 수 있다. 개방성 표면 창상에서 채취한 검체는 산소성 배양을 의뢰해서는 안 된다. 검사실과 검사 의뢰에 대해서 상의한다.

c. 화상 창상. 죽은 조직을 제거하고 창상을 소독한다. 삼출물이 있으면 면봉으로 힘을 주어 검체를 채취한다. 산소성 배양을 위해서만 검체를 접수한다. 생검 검체가 권장되는 검체이다. 표면 검체에서는 보통 집락화된 균이 자란다.

d. 농포나 수포. 터지지 않은 농포를 선택한다. 알코올로 닦고 마를 때까지 기다린다. 23 게이지 주사바늘(소아환자 대상)로 농포에 덮힌 피부를 벗긴다. 면봉을 농포 안에 넣고 강하게 돌려서 액체와 기저부의 세포를 채취한다. 농포가 크다면, 튜베르쿨린 주사기에 쓰는 18 게이지 주사바늘로 천자한다. 상처가 오래되었다면 가피를 제거해야 하고 미리 적신 소독된 면봉으로 습기가 있는 상처의 기저부에서 도말하여 검체를 채취한다.

e. 점상출혈, 자반, 괴저성농창. 창상의 바깥쪽 변연부를 강하게 긁어서 검체를 채취한다.

f. 옴. 보통은 임상적 진단을 하며, 미생물학적 검사를 위한 검체 채취의 적응증은 아닐 수 있다. 그러나 감염된 피부를 긁은 검체가 검사 의뢰될 수 있다.

C. 검체 정보 표기(Labeling)

1. 특정한 기술이나 해부학적 위치를 명시하지 않고 단순히 "창상"이라고만 검체 라벨에 표시해서는 안된다.

2. 환자 정보가 표시된 라벨을 검체에 붙인다.

3. 삼출물이 개방성 창상 또는 폐쇄성 창상에서 채취되었는지를 명시한다.

4. 산소성 배양 또는 무산소성 배양을 의뢰하는지 명시한다.

   a. 산소성 배양만 시행해야 할 경우. 산소성 수송배지로 접수.

      i. 상처 표면의 삼출물

      ii. 개방성 창상의 삼출물

      iii. 자상 삼출물

      iv. 개방성 농양의 삼출물

   b. 무산소성과 산소성 배양을 시행하는 경우. 무산소성 수송배지로 접수

      i. 외과적 처치로 흡인한 검체

      ii. 패쇄성 농양 흡인 검체

      iii. 생검 조직

D. 수송(Transport)

　1. 검체는 신속하게 검사실로 운반한다.

　2. 1시간 내로 배양할 수 없다면 검체를 냉장 보관한다.

E. 기타 추가설명(Comment)

　1. 피부 소독은 적절한 배양 결과 해석을 위해 매우 중요하다.

　2. 검사실은 그람염색으로 검체를 평가한다. 도말에서 상피세포가 있으면 표면 오염을 의미한다. 상피세포가 없으면서 백혈구가 있으면 적절한 검체를 의미한다.

　3. 농양만 접수하면 안된다. 농양은 창상의 대표적인 검체가 아니다. 창상의 진행하는 변연부나 기저부가 권장되는 검체이다.

　4. 소아 환자 필요 사항: 소아 감염은 흔히 발적이나 수포 형성 같은 피부 발진을 동반한다. 이런 부위에서는 병원체의 이상적인 검출을 위해서 주의하여 배양을 해야 한다. 염증 세포가 없는 창상 검체는 병변 진행과 무관한 표면 상재균을 의미할 수 있다. 그래서 재채취하는 것이 바람직하다.

임상적으로 중요한 사안이 있다면 면봉은 잊어버리고 조직을 얻어라.

Michael Saubolle, Ph.D.
Banner Health, Phoenix, AZ

4장

검체 처리 요약 표
(Specimen Management Summary Tables)

다음 표들은 미생물 검사실에 접수되는 흔한 검체들의 중요한 점들을 기술하고 요약한다. 이러한 지침들의 근거 문서들이 추가적인 연구가 필요한 경우에 포함되어 있다. 검사실 안전 지침이 잘 지켜지는지 확인하고, 검체를 다루는 사람들이 모두 숙지하고 있는지 확인하라(12).

표 18. 세균과 진균 진단 검체를 채취 지침[a]

| 검체 종류 (참고 문헌[s]) | 채취 | | 시간, 온도 | | 최대 반복의뢰 횟수 | 참고사항(Comment) |
	지침	용기/최소량	역내 수송[b]	수송 또는 보관 조건		(진균 검체 관리에 대한 자세한 정보는 참고문헌(43)에서 확인 가능함.)
농양(2, 3, 13, 25)	소독된 식염수나 70% EtOh로 표면의 삼출액(exudate)를 닦아서 제거					조직이나 체액은 면봉검체보다 항상 더 좋음. 면봉의 경우, 2개를 채취하되 1개는 배양, 1개는 그람 염색에 사용. Stuart's 또는 Amies 배지를 사용하여 보온 및 수송
개방	가능하다면 흡인, 아니면 면봉을 깊이 넣어서 면역 부를 묵 눌러서 채취.	면봉 수송	≤2 h, RT	≤24 h, RT	1/day/source	감염 부위의 기저부와 농양의 벽 쪽(wall)에서 채취하는 검체가 제일 좋음.
폐쇄	농양의 벽쪽에서 바늘을 이용해서 흡인. 무균적으로 무산소수송기구로 모든 채취된 검체를 옮겨 담음	무산소수송 기구, ≥1 ml	≤2 h, RT	≤24 h, RT	1/day/source	표면에서 검체를 채취하면 감염원이 아닌 상재화된 세균의 결과가 보고될 수 있음.
물린 상처(13, 44, 45)	농양 참조					동물에게 물린 상처는 만약 감염의 증거가 있거나 열흘, 손이 아니라면 ≤12 h 이내에는 채취하지 않지(일반적으로 감염원이 배양이 되지 않음.

(다음페이지에 표 계속)

167

표 18. 세균과 진균 검체를 채취 지침[a] *(계속)*

검체 종류 (참고 문헌[s])	채취		시간, 온도		최대 반복의뢰 횟수	참고사항(Comment) (진단 검체 관리에 대한 자세한 정보는 참고문헌[43]에서 확인 가능함.)
	지침	용기/최소량	실내 수송	수송 또는 보관 조건		
혈액 배양[27, 41, 46-50]	배양병을 소독한다: 70% 이소프로판올로 배양병 위 고무마개를 닦고 1분간 기다린다. 정맥을 충지한다. 채혈 부위를 소독한다. 클로헥시딘이 들어있는 소독제를 이용하거나 아래의 지침을 따른다: 1. 70% 알코올로 깨끗이 한다. 2. 요오드로 중심부터 시작해서 바깥쪽으로 닦아나간다. 3. 요오드가 마르기를 기다린다. 4. 이후로는 정맥을 촉지 하면 안 된다. 5. 채혈을 한다. 6. 정맥채혈 후 피부에서 요오드를 알코올으로 닦아낸다.	세균: 혈액배양용기 성인, 10-20mL/쌍 채혈량이 많을수록 양성률이 올라감. 유아, 1-10mL/쌍 진단: 1. 2상 배양 (Biphasic culture) 2. 용해 원심분리 (lysis centrifugation)	≤2 h, RT	≤24 h, RT 또는 제조사 지침	3 sets in 24 h	제조사의 권장 채혈량을 따른다. 급성 패혈증: 다른 부위로부터 2-3 쌍 채혈, 모두 10분 이내 의뢰함. 급성 심내막염: 다른 세 채혈 부위로부터 3쌍 채혈 1-2시간에 걸쳐서 채혈함. 아급성 심내막염: 다른 세 채혈 부위로부터 3쌍. 각각 15분 이상의 간격을 두고 채혈; 만약 24시간 후 배양 음성인 경우, 2-3쌍을 더 채취함. 일부에서는 무산소배양병보다는 산소배양병 또는 진균 배양병을 하나 더 추가하는 것이 낫다고 권장함. 성인용 배양병은 소아 환자에서, 더 적은 채혈량으로 사용할 수 있음. 정맥 주사 중인 경우, 정맥 주사가 들어가는 부위보다 아래에서 채혈하여 정맥주사료 희석되는 것을 방지해야 함. 션트(Shunt)나 카테터로부터 채혈 시 이러한 기구를 완전히 소독하는게 어려워 오염되기 쉬움. 용혈원심분리는 *H. capsulatum*과 다른 이상성 진균(dimorphic fungi) 획득에 매우 중요함(51). 혈액으로의 혈액제제 배양에 대한 요청은 참고문헌 참조(50).

표 18. 세균과 진균 진검체 채취 지침ª (계속)

검체	채취 방법	용기	보관	보관	빈도	비고
골수	수술적 절개를 하는 곳에 검체 채취 부위를 소독	혈액배양병에 접종하거나, 용해 원심 분리용 튜브에 넣음.	≤24 h, 혈액배양병에 넣을 경우	≤24 h, RT	1/day	골수 채취양이 적으면, 직접 배지에 접종을 하거나 액체배지에 넣을 수 있다. 용해원심분리는 H. capsulatum과 다른 이상성 진균(dimorphic fungi) 획득에 매우 중요함(51).
화상	검체 채취 전에 장상의 괴사 조직을 제거하고 (debride) 상처 부위를 깨끗하게 한다.	조직은 나사마개 용기에 삽출액은 면봉사용	≤2 h, RT	≤24 h, RT	1/day/source	산소배양만 검사한다. 정량배양 시 3-4mm 정도의 펀치 생검이 적절배양한다; 그러나 정량 배양이 가치가 있을 수도 없을 수도 있다. 화상의 표면을 배양하는 것은 잘못된 정보를 제공할 수 있다.
카테터 정맥 내 카테터(52-54)	1. 알코올로 카테터 주변의 피부를 소독한다. 2. 무균적으로 카테터를 제거하고, 카테터의 끝쪽 5cm을 무균 튜브에 정관시 바로 넣는다. 3. 건조를 방지하기 위해 즉시 임상미생물 검사실로 수송한다.	Sterile screw-cap tube or cup	≤15 min, RT	≤24 h, 4°C	None	반정량 배양을 위해 적절한 정맥 내 카테터 (Maki 방법): Central, CVP, Hickman, Broviac, peripheral, arterial, umbilical, hyperalimentation, Swan-Ganz. 배양 목적으로 의뢰되는 정맥 내 카테터 팁은 바로 및 카테터 결과의 판독을 위해 정맥혈 혈액배양과 함께 의뢰되어야 한다.
폴리(Foley) 카테터(16)	배양균은 요도 끝쪽의 상재균을 반영하기 때문에 배양하지 않는다.					배양에 부적합한 검체이므로 기각

(다음페이지에 표 계속)

표 18. 세균과 진균 검체를 채취 지침ᵃ *(계속)*

검체 종류 (참고 문헌[s])	채취		시간, 온도		최대 반복의뢰 횟수	참고사항(Comment) (진균 검체 관리에 대한 자세한 정보는 참고문헌(43)에서 확인이 가능함.)
	지침	용기/최소량	여내 수송	수송 또는 보관 조건		
봉와직염 (cellulitis) (13, 55, 56)	1. 무균 생리식염수나 70% 알코올로 닦아서 상처를 깨끗하게 한다. 2. 염증이 가장 많은 부위 (일반적으로 바깥쪽보다는 중심부를 주사기와 가는 바늘로 흡인한다. 3. 무균 생리식염수를 주사기에 소량 흡인한 뒤 들러서 막는 마개가 있는 소독된 튜브에 흡인한다.	무균 토브(주사기로 수송하는 것은 권장하지 않는다.)	≤15 min, RT	≤24 h, RT	없음	검체적인 병원체의 양성률은 25–35%정도이다.
뇌척수액(CSF) (57–59)	1. 채취 부위를 2% 요오드 팅처로 소독을 하거나, 외과적 소독 세트로 소독한다. 2. L3–L4, L4–L5, 또는 L5–S1 사이에 탐침(stylet)이 있는 주사바늘을 넣는다. 3. 지주막하 공간 (subarachoid space)에 닿으면 탐침을 제거하고, 3개의 세지 않는 (leakproof) 튜브에 각각 1–2 mL 의 뇌척수액을 채취한다.	돌려서 막는 무균 용기 최소 필요 채취량: 세균, ≥1 mL; 진균 ≥2mL; 항산균, ≥2mL; 바이러스, ≥2mL	세균: 절대 냉장 금지; ≤15 min, RT 바이러스: 수송 시 얼음에 담아서; ≤15 min, 4°C	≤24 h, RT ≤72 h, 4°C	없음	혈액배양을 동시에 시행한다. 만약 CSF 1 튜브만 채취되었다면, 미생물학 검사 실로 먼저 접수되어야 한다; 만약 그렇지 않다면 두 번째 튜브를 접수한다. 뇌농양의 흔한 원인은 생검은 무산소성 세균이나 기생충을 검출하는 검사가 필요할 수 있다.

표 18. 세균과 진균 진단 검체를 채취 지침[a] (계속)

	코멘트 참조 / 채취	수송	≤2 h, RT	≤24 h, RT	1/day/source	
욕창성 궤양 (decubitus ulcer) (13)	코멘트 참조: 면봉은 표준 검체가 아니다. 1. 펼균 식염수로 표면을 깨끗이 한다. 2. 만약 조직 생검이 가능하지 않다면, 궤양의 심부를 면봉으로 강하게 문질러서 채취한다. 3. 적합한 수송배지에 면봉을 넣는다.	면봉 수송배지(산소) 또는 무산소수송 도구(조직)	≤2 h, RT	≤24 h, RT	1/day/source	욕창에서 면봉으로 채취한 검체는 임상적으로 유용한 정보를 거의 제공하지 못한다; 면봉 사용을 지양한다. 조직 생검 또는 바늘로 흡인한(needle aspirate) 검제가 표준 검체이다.
치과 배양: 잇몸, 치근, 치근단주위, 완전구내염 (Vincent's stomatitis)	코멘트 참조: 1. 잇몸 경계와 잇몸 위 치아 표면으로부터 타액, 찌꺼기, 치태(plaque)를 제거하기 위해 꼼꼼하게 깨끗이 한다. 2. 치주 스케일러 (periodontal scaler)로 잇몸 하 물질들을 깊숙이 제거하여 무산소성 수송 도구에 옮긴다. 3. 같은 방식으로 채취한 검체로 염색 검사를 위한 도말을 만든다.	무산소성 수송 도구	≤2 h, RT	≤24 h, RT	1/day	치주 부위는 특정 병원체를 검출하고 하나 확인할 수 있는 숙련된 검사법을 가지고 있는 검사실에 의해서 처리되어야 한다.

(다음페이지에 표 계속)

표 18. 세균과 진균 검체를 채취 지침[a] (계속)

검체 종류 (참고 문헌[s])	채취		시간, 온도		최대 반복의뢰 횟수	참고사항(Comment) (진균 검체 관리에 대한 자세한 정보는 참고문헌(43)에서 확인 가능함.)
	지침	용기/최소량	액내 수송[b]	수송 또는 보관 조건		
귀						
내이(60)	고막 천자술(tympanocentesis)은 합병증이 있거나, 재발하거나 만성 지속성 중이염이 진단을 위해 보류한다. 1. 고막이 괜찮다면, 외이도(ear canal)를 비누와 물로 깨끗이 한 뒤, 주사기로 흡인하여 분비물을 채취한다. 2. 고막이 찢어진 경우, 잘 확대되는 면봉으로 이경(otoscope) 하에 분비물을 채취한다. 두 번째 면봉으로 채취하여 그람 염색을 시행한다.	멸균 튜브, 면봉 수송배지 또는 무산소 수송 도구	≤2 h, RT	≤24 h, RT	1/day/source	중이염이 많은 경우 배양이 필요치 않고 경험적으로 치료된다. 인두나 비인두 배양은 중이염과 관련된 병원체를 추측할 수 있는 검체가 아니며, 이 목적으로 배양을 의뢰해서는 안된다. 종기(furuncle) 부위를 주사 바늘로 흡인하거나, 수술적으로 절개해서 검체를 획득할 수 있다.
외이(60)	1. 외이도의 찌꺼기나 각질 조각 등을 축축한 면봉으로 제거한다. 2. 외이 바깥쪽을 꾹 눌러 면봉을 회전시키면서 검체를 채취한다. 두 번째 면봉으로 채취하여 그람염색을 시행한다.	면봉 수송배지	≤2 h, RT	≤24 h, 4°C	1/day/source	외이도에서 표면을 면봉으로 문질러서 검체를 채취할 때 연쇄상구균에 의한 봉와직염을 놓칠 수 있기 때문에, 이 경우에는 면봉으로 세게 문질러서 검체를 얻어야 한다.

표 18. 세균과 진균 검체를 채취 지침[a] (계속)

눈	채취 방법	배지/접종	수송 시간	추가		설명
눈 결막(38, 41, 61)	1. 멸균 식염수로 축축하게 만든 각각의 면봉으로 양쪽 눈을 모두 채취한다. 채취 순서에는 각 결막 위로 면봉을 굴려서 채취한다. 2. 채취 후 배지에 접종한다. 3. 면봉을 2장의 슬라이드에 묻혀 염색을 위해 도말한다.	직접 배양에 접종: BHI with blood, CHOD, 억제 성분이 첨가된 진균용 배지	Plates: ≤15 min, RT Swabs: ≤2 h, RT	≤24 h, RT	없음	가능하다면, 한쪽만 감염되었더라도 흔히 있는 미생물의 확인을 위해 양쪽의 결막에서 모두 검체를 채취한다. 감염되지 않은 눈은 감염된 눈에서 분리된 미생물의 판정을 위한 대조군이다. 정확하게 표기한다: 눈으로 명시된 검체는 충분하지 않다. 결막, 각막, 수정체, 왼쪽인지 오른쪽인지 등을 구체적으로 적어야 한다. 면봉을 두 개로 채취해서 하나는 배양, 하나는 염색에 사용한다.
각막 긁음표본(corneal scraping)(38, 41, 61)	1. 위에 기술된 바에 따라 면봉으로 검체를 채취한다. 2. 국소 마취제를 2방울 넣느다. 3. 소독된 드누개(spatula)를 이용하여 각막의 감염 부위나 궤양 부위를 긁어서 직접 배지에 심는다. 4. 남은 검체를 2개의 슬라이드에 염색을 위해 도말한다.		≤15 min, RT	≤24 h, RT	없음	주추에 각막을 긁어서 검체를 채취하더라도, 배지를 위한 면봉 검체는 마취 전에 검체를 채취하는 것을 권장한다.
채액 또는 흡인액	주사바늘 흡인을 위해 눈을 준비한다.	평균한, 돌다서막는 튜브 또는 소량인 경우 배지에 직접 접종	≤15 min, RT	≤24 h, RT	없음	진균을 위한 배지를 추가한다. 마쥐는 일부 병인체의 분리나 성장을 억제할 수 있다.

(다음페이지에 표 계속)

표 18. 세균과 진균 진단 검체를 채취 지침[a] (계속)

검체 종류 (참고 문헌[s])	채취		시간, 온도		최대 반복의뢰 횟수	참고사항(Comment) (진균 검체 관리에 대한 자세한 정보는 참고문헌(43)에서 확인이 가능함.)
	지침	용기/최소용량	역내 수송[b]	수송 또는 보관 조건		
대변 일반 배양 (62)	바로 깨끗하고 건조된 용기에 변을 보관한다. 배변 후 1시간 이내 임상병리 생물 검사실로 이송하거나, 변을 면봉으로 눈으로 확인될 만큼의 양을 채취하여 Stuart's 또는 Amies 수송배지를 이용하여 수송한다.	깨끗하고 새지 않는, 입구가 넓은 용기 또는 수송배지; ≥2 g	보존제 무첨가: ≤1 h, RT 수송배지: ≤24 h, RT	≤24 h, 4°C ≤48 h, RT or 4°C	1/day	최선의 결과를 위해 급성 설사를 하는 급성기에 검사를 진행하라. 고형변은 종종 검사 결과가 제대로 나오지 않을 수 있다. 입원 당시 장염이 아니고, 입원한 지 3일이 초과한 환자에게는 일반 대변 배양을 시행하지 마라. 이 경우, C. difficile 독소 검사나 배양을 의뢰해라. 소아나 급성 설사가 아닌 경우 일반 병원체를 확인하기 위한 면봉 검체는 권장되지 않는다 ("Rectal and Anal Swab Specimens" 참조).
C. difficile (62–64)	바로 깨끗하고 건조된 용기에 변을 보도록 한다. 물 같은 변의 용기 모양에 따라 변의 모양이 바뀌는 상태 정도의 변을 말한다. 면봉으로 독소(toxin) 검사를 의뢰하는 것은 권장하지 않는다.	깨끗하고 새지 않는, 입구가 넓은 용기; ≥5 ml	≤1 h, RT; 1–24 h, 4°C; >24 h, –20°C	2 days, 4°C, for culture 3 days, 4°C, or longer at –70°C for toxin test	1/2 days	24시간마다 환자는 5회 이상의 무른 변 또는 설사를 해야 한다. 고형변 또는 단단한 변의 검사는 종종 결과를 제대로 인지하지 못하기도 하고, 보관하고 있는 상태 균만을 확인할 수 있다. –20°C 에 냉동하면 세포독성 활동 (cytotoxin activity)을 빠르게 잃어버릴 수 있다.
Escherichia coli O157:H7 (62) Shiga toxin producer	바로 깨끗하고, 건조된 용기에 변을 보도록 한다.	깨끗하고 새지 않는 입구가 넓은 용기 또는 수송배지; >2 ml	보존제 무첨가: ≤1 h, RT 수송배지 ≤24 h, RT or 4°C	≤24 h, 4°C ≤48 h, RT	1/day	복부 통증이 6일 이내의 환자로부터 채취된 혈변 또는 설사는 양성률이 높다. 다른 E. coli 혈청형도 시가(Shiga) 독소를 생성할 수 있어, 표준 검사에서는 독소를 생성하는 유전자뿐만 아니라 비–O157 독소 생성균을 식별할 수 있어야 한다.

174

표 18. 세균과 진균 진단 검체를 채취 지침[a] (계속)

배혈구(65) 락토페린 (Lactoferrin)	바로 깨끗하고 건조된 용기에 변을 보도록 한다. 배변 후 1시간 이내 임상미생물 검사실로 이송하거나, 즉시 기생충이나 알을 위한 수송배지로 이송하여 수송한다. (10% formalin or PVA).	깨끗하고 새지 않는 용기, 입구가 넓은 용기 또는 10% 포르말린(PVA 첨가물 등; >2 ml	보존제 없음: ≤1 h, RT 포르말린/PVA	≤24 h, 4°C 무가온, RT	1/day	대변 배혈구는 이질이나 살모넬라증(적혈구에서 흔하게 관찰되며, 종종 아메바증(amebiasis)에서도 보인다. 단핵구는 장티푸스(typhoid fever)에서 관찰된다. 임상적으로 호도할 수 있는 가능성과 수용한 정보가 많지 않기 때문에, 이 슬기는 일부의 경우 권장되지 않는다. 그람 염색이나 단순 메칠렌블루 염색은 백혈구를 보기 위해 사용할 수 있다. 상업화된 락토페린 검사도 가능하다.
직장 도말	1. 항문 괄약근으로부터 1 인치(2–3 cm) 정도 조심스럽게 면봉을 넣는다. 2. 항문 선와(anal crypt)에서 검체를 채취하기 위해 면봉을 조심스럽게 회전시킨다. 3. 설사의 병원체를 검출하기 위해서는 면봉에 변이 육안으로 확인되어야 한다.	수송배지	≤2 h, RT	≤24 h, RT	1/day	대부분의 환자에서 면봉은 표준 검체가 아니다. 대변을 볼 수 없는 환자와 Neisseria gonorrhoeae, Shigella spp., Campylobacter spp., HSV 그리고 group B Streptococcus 의 보균자 등을 검출하는데 사용할 수 있다.
누관	농양 참조				

(다음페이지에 표 계속)

175

표 18. 세균과 진균 검체를 채취 지침[a] (계속)

검체 종류(s) (참고 문헌[s])	채취		시간, 온도		최대 반복의뢰 횟수	참고사항(Comment)
	지침	용기/최소량	역내 수송[b]	수송 또는 보관 조건		
체애: 복부, 양수, 복수, 담즙, 관절액, 천자액, 심낭액, 흉수, 복막액, 흉수, 관절 낭액, 흉막천자	1. 채취 부위의 피부를 2% 요오드팅크 또는 글루로 헥시딘으로 소독한다. 2. 천자 바늘을 통해 또는 수술적 처치로 검체를 채취한다. 3. 즉시 검사실로 검체를 보낸다. 4. 가능한 많은 검체를 보낸다. 절대 혈액이 담기 면 봉을 보내면 안된다.	세균과 효모균을 위한 혈액배양용기 또는 통풍이 막는 밀균된 튜브, 무산 소수송도구 세균, ≥1 ml: 진균, ≥10 ml; 항산균, ≥10 ml	≤15 min, RT	≤24 h, RT 심낭에 또는 진균배양을 위한 체애: ≤ 24 h, 4°C	없음	양수와 더글라스와 천자(culdocentesis)로 얻은 체애은 무산소 조건으로 수송되어야 하며, 그람 염색 전에 원심분리할 필요가 없다. 다른 체애은 세포원심분리 처리(cytocentrifuged preparation) 후에 그람염색을 하는 것이 좋다(표 7 참고).
궤저 조직	농양 참조					조직 표면이나 표층에서 검체를 채취하는 것은 피해야 한다; 생검 조직이나 흡인에 이 좋다.
위액; 세척(wash or lavage) (66)	환자가 음식을 먹기 전 침대에 있는 동안 아침 일찍 채취한다. 1. 경비위관(nasogastrictube)을 입 또는 코를 통해서 위까지 넣는다. 2. 25-50 mL의 치가운 멸균된 증류수로 세척한다. 3. 검체를 회수하여 세지 않는 무균 용기에 넣는다. 4. 튜브를 제거하기 전에 흡인 상태를 풀고 클램프로 막는다.	멸균된, 새지 않는 용기	≤15 min, RT, 또는 채취 후 1시간 이내 중화한다.	≤24 h, 4°C 또는 얼음에 보관	1/day	항산균이 위애에서 급히 사멸하기 때문에 즉시 처리해야 한다. 35-50 mL의 위 세척액마다 1.5mL의 40% 무수(anhydrous) Na2HPO₄로 중화한다.

표 18. 세균과 진균 진균 검체를 채취 지침[a] (계속)

검체	채취방법	용기				비고
생식기 (여자) 양막(67)	1. 양수 천자, 제왕 절개, 자궁 내 카테터 등을 통해서 흡인한다. 2. 채취한 체액을 무산소수송용기에 담는다.	무산소성 수송 용기, ≥1 ml	≤15 min, RT	≤24 h, RT	없음	질의 상재균이 배양에 오염될 가능성이 높아서 질의 점액 묻지르거나 흡인하는 것은 부적합한 검체이다.
바트롤린 (Bartholin)	1. 요오드로 피부를 소독한다. 2. 분비관으로부터 체액을 흡인한다.	무산소성 수송 용기, ≥1 ml	≤2 h, RT	≤24 h, RT	1/day	
자궁 경부(26)	1. 윤활제를 쓰지 않고 질경 검경(speculum)을 통해 자궁 경부를 확인한다. 2. 자궁 경부의 점액과 분비물들을 면봉으로 제거한다. 3. 자궁 내 경관에서 새 멸균 면봉을 부드럽게, 꾹 눌러서 검체를 채취한다.	면봉 수송배지	≤2 h, RT	≤24 h, RT	1/day	바이러스와 클라미디아의 채취 및 수송에 대해 필요한 부분은 해당 부분을 참고한다. Chlamydia는 특정 세포를 감염시키는 반면, Neisseria gonorrhoeae는 삼출액에서 검출된다.
맹관 (Cul-de-sac)	흡인액이나 체액을 검사의뢰한다.	무산소성 수송 용기, ≥1 ml	≤2 h, RT	≤24 h, RT	1/day	
자궁 경부(26)	1. 텔레스코핑 카테터(telescoping catheter)를 이용하여 자궁 경부를 통해 검체를 흡인한다. 2. 전체 검체를 무산소성 수송 용기에 담는다.	무산소성 수송 용기, ≥1 ml	≤2 h, RT	≤24 h, RT	1/day	

표 18. 세균과 진균 검체를 채취를 지침[a] (계속)

178

검체 종류 (참고 문헌(s))	채취		시간, 온도		최대 반복의뢰 횟수	참고사항(Comment)
	지침	용기/최소량	역내 수송	수송 또는 보관 조건		(진균 검체 관리에 대한 자세한 정보는 참고문헌(43)에서 확인 가능함.)
태반	1. 응모막-양막 연결부위를 주의하여 밀균 면봉을 이 부위하에 응하여 노출된 부위에서 검체를 채취한다. 2. 슬라를 시각하기 위해 태반의 태아 쪽을 위쪽으로 위치시킨다. 3. 배꼽의 기저 부분이 배양을 위한 검체 채취 부위이다. 4. 응모막-양막 연결부위를 노출시키는 응모막을 자른다. 5. 면봉으로 이 연결부위를 꾹 눌러서 채취하여 수송 배지에 넣는다.	면봉 또는 멸균된 도말러서 마든 부위을 가진 용기	≤2 h, RT	≤24 h, RT	1/patient	일반적으로 태반 배양을 시행하는 것은 임상적 의미가 잘 알려져 있지 않다. 태반 배양은 제왕 절개에서만 시행할 수 있다. 양성 또는 음성 결과가 조직학적으로 질병이 있음을 암시해도 도움이 되지 않을 때가 있다. 지금 시행하는 태반의 면봉 제취법은 매우 특이도가 높지만 민감도는 낮다.
임신 관련 검체	1. 무균 용기에 조직을 의뢰한다. 2. 만약 제왕절개를 통해 검체를 얻는다면, 즉시 무산소성 수송 도구에 넣는다.	무균 용기 또는 무산소성 수송 도구	≤2 h, RT	≤24 h, RT	1/day	분만 후 나오는 질 분비물(lochia)은 이로하지 마라. 이 검체의 배양은 임상적으로 의미있는 결과를 보장할 수 없으며, 이러한 결과로 임상적으로 잘못된 정보를 제공할 수 있다.
요도(26)	환자가 소변을 본 뒤 1시간 뒤에 채취한다. 1. 요도구에서 삼출액을 제거한다. 2. 질을 통해 요도를 지문부 위쪽으로 마사지하여 분비물을 면봉으로 채취한다.	면봉 수송	≤2 h, RT	≤24 h, RT	1/day	만약 분비물이 없다면, 외부 요도를 베타딘 비누액과 물로 씻어낸다. 요도생식기 (urethrogenital) 면봉을 요도에 2–4 cm 정도 넣고, 2초간 회전시킨다.

표 18. 세균과 진균 검체를 채취 지침[a] (계속)

		면봉 수송배지	≤2 h, RT	≤24 h, RT	1/day	
질(26)	1. 과도한 양의 분비물을 닦아 아낸다. 2. 질원개(vaginal vault) 점막의 분비물을 멸균 면봉이나 피펫으로 채취한다. 3. 만약 도말이 필요하다면 두 번째 면봉을 사용한다.	면봉 수송배지	≤2 h, RT	≤24 h, RT	1/day	자궁내피임기구(intrauterine devices)의 경우, 전체 기구를 무균 용기에 넣고 실온으로 검사실로 이송한다. 그람 염색은 세균성 질염의 확인을 위해 주천된다. 배양으로부터의 결과가 종종 부정확되고 판단이 곤란할 수 있다. 상업화된 판단을 사용하고PCR 기기가 사용가능하고, 제조사의 지침을 따라야 한다.
생식기(genital) (여성 또는 남성)(23) 병변(lesion)	1. 멸균 식염수로 부위를 깨끗하게 하고 멸균된 수술용 칼날(scalpel blade)로 해당 부위의 표면을 제거한다. 2. 여출액(transudate)이 나와 누적되도록 기다린다. 3. 병변의 기저부를 누르고, 멸균 면봉으로 꾹 눌러서 삼출액(exudate)을 채취한다.	면봉 수송배지	≤2 h, RT	≤24 h, RT	1/day	매독을 배제하기 위한 암시야현미경 검사를 위해 슬라이드를 액층에 가져다 댄다. 카버슬립을 씌우고 습기가 보존되는 용기(페트리 접시 안에 젖은 거즈를 넣음)안에 넣어서 즉시 검사실로 보낸다. 매독 배양을 위한 검체는 접수하면 안 된다. 매독 DFA는 일반적으로 공공 보건 검사실(public health laboratory)에서 시행되며, 감은 종류의 검체를 필요로 한다. 트레포네마 또는 비트레포네마 혈청학적 검사는 혈청이 필요한데, 혈청 채취용 튜브에 채혈하여 실온에서 2시간 이내 검사실로 보내야 한다. TPPA나 FTA-ABS 같은 트레포네마 검사는 평생 양성이다.

(다음페이지에 표 계속)

표 18. 세균과 진균 검체를 채취 지침[a] (계속)

검체 종류 (참고 문헌[s])	채취		시간, 온도		최대 반복의뢰 횟수	참고사항(Comment) (진균 검체 관리에 대한 자세한 정보는 참고문헌(43)에서 확인 가능함.)
	지침	용기/최소량	실내 수송	수송 또는 보관 조건		
생식기(남자) 전립선(23, 68)	1. 귀두를 비누와 물로 씻는다. 2. 직장을 통해 전립선을 마사지한다. 3. 분비물을 멸균 면봉으로 채취하거나 무균 용기에 담는다.	면봉 수송 용기 또는 멸균 튜브	≤1 h, RT 또는 4°C	≤24 h, RT	1/day	마사지 전후로 즉시 채취된 소변 검체를 주 가하면 요도와 방광의 미생물을 얻을 수 있어 더 임상적으로 유용한 결과를 얻을 수 있다. 사정액도 배양될 수 있다.
요도	요도생식기 면봉을 요도로부터 2-4 cm 정도 넣고, 면봉을 회전시킨 뒤 흡수하기 위해 적어도 2초간 그대로 둔다.	면봉 수송 용기	≤2 h, RT	≤24 h, RT	1/day	
머리카락: 피부사상균증 (51, 69)	1. 포셉으로 적어도 10–12개의 감염된 부위의 머리 기둥이 손상이 안 된 채로 말단부터 뽑는다. 가능한 뿌리를 같이 채취한다. 우드 램프(Wood's lamp) 하에서 머리카락을 고른다. 2. 깨끗한 용기에 넣는다.	머리카락	≤24 h, RT		1/day/site	만약 두피에 인설(scale)이 있다면, 감염 부위의 활동성 경계를 긁어서 같이 채취한다. 최근에 항진균제 치료 이력이 있다면 기록한다.

표 18. 세균과 진균 진단 검체를 채취 지침[a] *(계속)*

손톱, 피부사상균증(51, 69)	1. 면이 아닌 거즈에 70% 알코올을 분해서 닦아낸다. 2. 감염된 부위를 낙하하게 잘라낸 뒤, 손톱 밑의 부스러기나 물집을 채취한다. 3. 깨끗한 용기에 넣는다.	깨끗한 용기	≤24 h, RT	1/day	피부사상균의 배양률을 높이기 위해 간 피부사상의 배양률을 높이기 위해 배지에 누를 수 있다.
모발동지낭 (Pilonidal cyst)	농양 참조	양쪽의 머리 부분을 닮을 만큼 닦아하게 잘라낸 뒤, 손톱 밑이 부스러기나 물집을 채취가 양이 필요하다.			
호흡기, 하부 기관지 폐포 세척액, 기관지 칫치슛 또는 세척, 기도 흡인액	1. 흡인에 또는 세척에을 격담 트랩(trap)에 넣는다. 2. 솔(brush)은 멸균된 용기에 식염수와 함께 넣는다.	무균 용기, >1 ml	≤2 h, RT	40–80 mL 정도가 정량배양에 필요하다. 솔(brush)이 정량배양을 위해서는 수송시 Trypticase soy broth 0.5 mL에 넣는다.	1/day
뱉은 격담 (Sputum, expectorate) (51, 70)	1. 간호사나 의사의 직접 감독 하에 검체를 채취한다. 2. 구강 내 상재균을 감소시키기 위해 물로 입안을 가글하거나 헹구게 한다. 지어와 혀를 닦는 것이 도움이 된다. 3. 환자에게 기침을 깊게 하여 하부기도의 검체를 뱉어낼 수 있도록 교육한다. 무균용기에 채취한다.	무균 용기, >1 ml 최소 검체량: 세균, >1 ml; 진균, 3–5 ml; 항산균, 5–10 ml; 기생충, 3–5 ml	≤2 h, RT	≤24 h, 4°C	1/day	격담을 뱉을 수 없는 소아 환자에서는, 호흡기 치료사가 흡인을 통해 검체를 제취해야 한다. 가장 좋은 검체는 100x 배율에서 10개 이하의 편평상피세포가 있는 검체이다.

(다음페이지에 표 계속)

181

표 18. 세균과 진균 검체를 채취를 지침[a] (계속)

검체 종류 (참고 문헌[s])	채취		시간, 온도		최대 반복의뢰 횟수	참고사항(Comment) (진균 검체 관리에 대한 자세한 정보는 참고문헌[43]에서 확인이 가능함.)
	지침	용기/최소량	역내 수송[b]	수송 또는 보관 조건		
유도 객담 (70)	1. 환자가 잇몸과 혀를 닦은 뒤 물로 입안을 헹구도록 한다. 2. 네불라이저를 틀고, 환자가 3–10% 식염수를 약 25 mL까지 들이마시도록 한다. 3. 무균 용기에 유도객담을 받는다.	무균 용기	≤2 h, RT	≤24 h, RT	1/day	*Histoplasma capsulatum*와 *Blastomyces dermatitidis*는 검체 채취 후 매우 짧은 기간 생존한다. 진균 배양은 주로 *Cryptococcus* spp.와 일부 사상형 진균이 목표다; 다른 효모균은 하부기도 감염을 거의 일으키지 않는다. 원심분리 후 점액용해제(mucolytic agents)로 용해시키는 것은 *Pneumocystis jirovecii*와 다른 진균의 검출을 돕는다.
호흡기, 상부(23) 구강	1. 구강 내 분비물과 찌꺼기를 제거하고 병변 표면을 면봉으로 닦아내고 버린다. 2. 두 번째 면봉으로 정상부위에 닿지 않도록 주의하며 병변을 강하게 문질러서 채취한다.	면봉 수송 용기	≤2 h, RT	≤24 h, RT	1/day	세균 검사를 위해 조직(superficial tissue)을 채취하는 것은 권장하지 않는다. 조직 생검이나 흡인액이 표준검체이다.
비강	1. 멸균 식염수로 적신 면봉을 코 안으로 2 cm 정도 넣는다. 2. 비강 점막을 누르며 회전시킨다.	면봉 수송 용기	≤2 h, RT	≤24 h, RT	1/day	코 앞쪽의 배양은 비강 내 포도상구균과 인체 상구균의 보균자용 검체 채취 부위이다.
비인두(23)	1. 감습 알긴산 면봉을 콧구멍을 통해 비인두 뒤쪽까지 넣는다.	배지에 직접 접종 또는 면봉 용기	배지: ≤15 min, RT 면봉: ≤2 h, RT	≤24 h, RT	1/day	점종된 배지는 빨리 CO_2 환경에 넣어야 한다. 부비동 검체는 주사바늘 흡인 등 수술적으로 채취되어야 하며, 면봉을 사용하면 안 된다. 비인두 및 인두 검체는 부비동 검체를 대신할 수 없다.

표 18. 세균과 진균 검체를 채취 지침[a] (계속)

검체	채취 지침	면봉 수송 용기			1/day	
인두	1. 해들 설압자로 누른다. 2. 맥주 후두, 편도, 발적 부위를 면봉 면봉으로 눌러서 검체를 채취한다.	면봉 수송 용기	≤2 h, RT	≤24 h, RT	1/day	인두 배양은 후두기염이 있을 경우 금기사항이다(채취하면 안 된다). *N. Gonorrhoeae*를 위한 면봉은 숯이 첨가된 수송배지에 넣어야 하며, 채취 후 12시간 이내에 접종되어야 한다. Jembec, Bio-bags, GonoPak 등이 실온에서 수송하기가 더 낫다.
피부: 피부사상균증 (51, 69)	1. 감염된 부위를 70% 알코올로 닦아낸다. 2. 병변부의 피부 표면을 부드럽게 긁어낸다. 혈액을 뽑으면 안 된다. 3. 검체를 깨끗한 용기나 깨끗한 유리 슬라이드 사이에 넣는다.	깨끗한 용기, 암정 메리를 넣을 만큼 충분히 금기내야 한다.	≤72h, RT		1/day/site	만약 슬라이드 사이에 검체가 접수된다면, 슬라이드는 두 장을 테이프로 고정시키고 봉투에 넣는다. 절대 냉장하면 안 된다. 피부사상균은 냉장에 취약하다.
조직(23)	1. 무균 용기에 넣느다. 2. 양이 적은 경우 멸균 식염수를 몇방울 넣어서 습도를 유지한다. 3. 조직이 건조하면 안된다. 4. 무산소성 수송 도구를 이용하거나 무균된 멸균된 습운 상자를 이용한다.	무산소성 수송 도구 또는 멸균된, 돌려서 만드는 용기 상자. 식염수를 몇방울 추가해야 할 수도 있다.	≤15 min, RT	≤24 h, RT	없음	가능한 많은 조직을 검사에 보낸다. 만약 가능하다면 조직을 -70°C에 보관하여 추가검사가 필요할 때를 대비한다. 절대 표면의 무지른 면봉을 보내면 안 된다. 특히 수술로부터 얻는 면봉으로 표면을 문질러 채취하면 안 된다. 정량 검사를 위해 2×1 cm 검체가 적절하다. 무게로는 약 500 mg 정도이다. 일부 레지오넬라는 생리식염수에 의해 배양이 저해받는다.

(다음페이지에 표 계속)

표 18. 세균과 진균 진단 검체를 채취를 지침ᵃ (계속)

검체 종류 (참고 문헌[s])	채취		시간, 온도		최대 반복의뢰 횟수	참고사항(Comment) (진균 검체 관리에 대한 자세한 정보는 참고문헌(43)에서 확인 가능함.)
	지침	용기/최소량	역내 수송ᵇ	수송 또는 보관 조건		
소변, 여자, 중간뇨 (71)	1. 요도 부위를 비누와 물로 깨끗이 한다. 2. 젖은 거즈 패드로 헹궈낸다. 3. 음순을 좌우로 벌리고 소변을 본다. 4. 수 mL를 본 후 소변의 흐름을 끊지 않고 중간뇨를 채취한다.	멸균된 뚜껑이 넓은 용기, ≥1 mL 이상 또는 소변 수송 기구	무보존제: ≤2 h, RT 보존제: ≤24 h, RT	≤24 h, 4°C	1/day	여성 소변에서 클라미디아 항원 검사를 검사를 하는 것은 무의미할 수 있다. (72): 일반적으로 분자진단학적 검사가 권장된다. 소변은 분자진단학적 독성이 있어 클라미디아 배양에 좋은 검체가 아니다. 중간뇨는 세균 배양에 쓰일 수 있다.
남자, 중간뇨 (71)	1. 귀두를 비누와 물로 깨끗하게 한다. 2. 젖은 거즈로 헹궈낸다. 3. 표피를 젖힌 후 소변을 보기 시작한다. 4. 수 mL를 본 후 소변의 흐름을 끊지 않고 중간뇨를 채집한다.	멸균된 뚜껑이 넓은 용기, ≥1 mL 이상 또는 소변 수송 기구	무보존제: ≤2 h, RT 보존제: ≤24 h, RT	≤24 h, 4°C	1/day	소변의 첫 부분은 클라미디아의 프로브, 항원, 분자진단학적 검사에 사용될 수 있다. 지난 소변을 본 뒤 2시간을 기다린다. 중간뇨는 세균 배양에 쓰일 수 있다.

표 18. 세균과 진균 검체를 채취 지침[a] *(계속)*

단순 도뇨관 (straight catheter) (71)	1. 요도 부위를 비누와 물로 깨끗이 한다. 2. 젖은 거즈 패드로 헹궈낸다. 3. 무균적으로 카테터를 방광에 넣는다. 4. 15 mL 정도 흐르게 한 뒤, 무균 용기에 검체를 받는다.	멸균된, 샘 방지 (leakproof) 용기	무보존제: ≤2 h, RT 보존제: ≤24 h, RT	≤24 h, 4°C	1/day	단순 도뇨관은 적절한 검체이나, 준비가 부적절한 경우 요도의 상재균이 방광으로 침범하여 의인성(iatrogenic) 감염의 위험을 증가시킬 수 있다.
거치 도뇨관 (71)	1. 카테터 채취 포트를 70% 알코올로 소독한다. 2. 바늘과 주사기를 이용하여 무균적으로 5–10 mL의 소변을 채취한다. 3. 무균 용기에 담는다.	멸균된, 샘 방지 (leakproof, 용기)	무보존제: ≤2 h, RT 보존제: ≤24 h, RT	≤24 h, 4°C	1/day	폴리 카테타 팁은 배양에 부적절하며, 검사 실로 의뢰하거나 또는 검사실에서 접수하면 안 된다.
상처(Wound)	농양 참조					

[a]EtOH, ethanol; RT, room temperature; i.v. intravenous; AFB, acid-fast bacilli; CSF, cerebrospinal fluid; BAP, blood agar plate; CHOC, chocolate agar; BHI, brain heart infusion; PVA, poly-vinyl alcohol fixative; TPPA, Treponema pallidum particle agglutination; FTA-ABS, fluorescent treponemal antibody-absorbed.
[b]모든 검체는 요청서에 대한 구분된 구획이 있는, 샘 방지(leakproof) 폴라스틱 봉투에 넣어서 수송되어야 한다.

표19. 흔히 접하기 어려운 미생물 검체 관리 (13, 38, 41, 72)ᵃ

미생물 이름	검체 종류	보관 조건	참고사항(Comment)
Afipia spp.	혈액 조직 림프절 흡인	1주, 4°C 영구보관, -70°C	Giemsa 염색에서 적혈구 내 또는 표면에서 관찰될 수도 있음. 조직에 있어서는 Warthin-Starry silver 염색을 사용할 것. SPS는 독성이 있음.
Bartonella spp. (cat scratch fever)	혈액: 용해 원심분리 튜브 10ml	채취 후 8시간 내 처리	검사 과정이 최적화되었더라도, 혈액 내에서 *Bartonella*를 검출하기는 매우 어려움.
Borrelia burgdorferi (Lyme disease)	병변 주위 피부 생검 응고 용기 내 혈청 혈액 뇌척수액	조직을 축축하고 멸균 상태로 유지할 것. 가능하면 검사실로 직접 운반할 것.	배양과 함께 혈청검사를 고려할 것. 그러나 혈청검사는 감염 초 14일 동안에는 위음성을 보일 수 있음. 급성 및 회복기 혈청에 대해 IgM 및 IgG EIA로 선별함. 배양양성률은 낮음. 조직에는 Warthin-Starry silver 염색을 사용할 것. 혈액 및 뇌척수액에는 AO, FA 및 Giemsa 염색을 사용할 것.
Borrelia spp. (relapsing fever)	혈액: 두텁게 바른 도말이나 얇게 바른 도말에는 Wright's 또는 Giemsa 염색을 이용함. 인자아는 혈액의 경우에 간혹 도움이 될 수 있음. 골수	EDTA 또는 구연산염 튜브로 실온에서 운송할 것. 가능하면 30분 이내에 처리할 것. 소아용, 융해-원심분리관이 도움이 됨.	정규 혈액배양병은 30일간 보관하면 유용함. 환자가 발열을 보일 때 채혈하는 것이 가장 좋음. 약 70%에서 관찰이 가능함. 발열이 반복되면서 스피로헤트(Spirochete)의 양으로 감소함. 관절액에 있어서는 관절에 배양을 수행할 것. *Borrelia* spp가 의심되면 검사실에 의뢰할 것.
Klebsiella granulomatis (*Calymmatobacterium* spp.) (granuloma inguinale; donovanosis)	조직 포르말린에 담긴 표면 또는 병변 기저부	실온에서 운송할 것. 2시간 이내에 처리하는 것이 적절함.	주로 열대 감염병임. Wright's 또는 Giemsa 염색을 관찰함. 균성 과립이 있는 과립서 막대균을 관찰함. 상피만으로는 불충분하며, 배양은 유용하지 않음.
Coxiella spp. (Q fever), *Rickettsia* spp. (spotted fevers, typhus)	면역형광검사를 위한 응고용기 내 혈청 *Coxiella* 해산증폭검사를 위한 EDTA 용기의 혈장 해산증폭검사를 위한 피부 생검 혈액	2시간 이내 실온에서 혈청/혈장을 운반할 것. 혈액과 조직은 -70°C로 냉동해야 함. 조직은 임의에 담긴 멸균 용기를 사용할 것.	보리듀는 표준검사실로 보내도록 함. 혈청학적 진단이 선호됨. *R. rickettsii* IgM 및 IgG 검출을 위해 IFA을 사용함.

표19. 흔히 접하기 어려운 미생물 검체 관리 (13, 38, 41, 72)[a] (계속)

	검체	운송	비고
Ehrlichia spp.	혈액 피부 생검 혈액(헤파린 또는 EDTA) 뇌척수액 혈청	배양용 검체는 냉장하여 운송해야 함. 조직은 죽죽하고 멸균 상태로 유지할 것. 검사 전까지 4-20°C로 유지하고, 외부로 운송하려면 -70°C로 냉동할 것. 해산증폭검사용으로는 냉장 또는 냉동 상태로 운송할 것.	혈청학적 진단이 선호됨. 도말을 메탄올로 고정할 것. 조직은 FA 또는 Gimenez 염색으로 검경할 것. 감염 후 1주 이내는 말초혈액이나 WBC buffy coat 도말의 Wright's 또는 Giemsa 염색을 수행해볼 수 있음. 분리주는 표준검사실로 운송할 것. CSF는 직접 검경하거나 핵산증폭검사를 이용할 것.
Francisella spp. (tularemia) **매우 감염력이 높으며, 검체 취급 시 위험함.**	림프절 흡인 긁음 병변 생검 혈액 혈청-급성기와 회복기 객담	신속히 검사실로 운송하거나 냉동할 것. 외부 운송 시에는 드라이아이스를 이용할 것.	표준검사실로 운송하거나 모든 조작에 있어 BSL-3 슬기를 적용할 것. 혈청학적 진단이 유용함. 조직 그람염색은 유용하지 않음. IFA도 가능함. 배양은 10% 정도에서 양성을 보임.
Leptospira spp.	혈청 혈액(헤파린, 옥살산나트륨, 구연산) CSF(첫 주) 소변(첫 주 후)	혈액 <1시간 소변 <1시간 또는 1% 소 혈청 알부민에 1:10 희석하여 4-20°C에서 보관	환자 발열 시 검체를 채취할 것. 혈청학적 진단이 가장 도움이 됨. 산성 소변에서는 검출이 어려움. 암시야 및 IFA가 유용함. 조직에는 Warthin-Starry silver 염색을 사용할 것. 구연산염 또는 EDTA 용기는 PCR 분석에 적합함. 헤파린, SPS 및 사포닌은 PCR 반응을 억제함.
Streptobacillus spp. (rat bite fever; Haverhill fever)	혈액 관절액 흡인	대용량 용기가 선호됨.	냉장 보관하지 말 것. 배양을 위해서는 혈액, 혈청 또는 ascetic fluid가 필요함. SPS는 배양을 억제함. AO 염색이 유용함.

[a]SPS, sodium polyanethol sulfonate; AO, acridine orange; FA, fluorescent antibody stain; RT, room temperature; CSF, cerebrospinal fluid; NAAT, nucleic acid amplification test; BSL-3, Biosafety Level 3; IFA, indirect fluorescent antibody stain; WBC, white blood cell.
[b]Laboratory safety hazard.

표 20. 바이러스 분리를 위한 검체 지침[a]

임상 증후군	관련 바이러스	바이러스 배양용 검체						혈청 검사	고려할 다른 병원체
		THR	LES	URN	CSF	FEC	기타 검체		
심장 감염	Enterovirus[b]	X				X	심장 조직, 체액	예	Enterovirus[b]
중추신경계 감염	Enterovirus	X			X (NAAT)	X	직장 도말	아니오	Arbovirus[c,d]
	Parechovirus				X (NAAT)				HIV[c,e]
	Herpes simplex 1,2	X			X (NAAT)		뇌 조직	아니오	Measles virus[c]
	Mumps virus[b]	X					타액	1쌍	Rabies virus[c,e]
	Varicella-zoster virus			X	X (NAAT)				Lymphocytic choriomeningitis virus[c]
선천성 또는 영아기감염	CMV[b]	X		X			백혈구 연층(Buffy coat)	IgM	Hepatitis B virus[c]
	Enterovirus[b]	X	X	X		X	직장 도말	아니오	HIV[c,e]
	Herpes simplex virus[b]	X	X	X	X		긁은 검체, DFA	IgM	Parvovirus B19[c]
	Varicella-zoster virus[b]	X	X	X	X				Rubella virus[c]
위장관 감염	Adenoviruses[e] 40/41					X	변/직장 도말	아니오	Norwalk 병원체[e]
	CMV[b]						배양용 생검	아니오	Norovirus
	Rotavirus[e]					X	변, 직장 도말	아니오	Sapovirus
생식기 감염	Herpes simplex virus[b]	X	X				자궁경부/외음부	아니오	CMV[b]
	Mumps virus[b] (고환염)			X			타액	1쌍	Human papillomavirus[e]
단핵구증	EBV[b]						백혈구 연층(Buffy coat)	예	Dengue virus[c]
볼명열	CMV[b]	X		X				IgM	Hepatitis A–E viruses[c,e] Parvovirus B19
인구 감염	Adenovirus[b]	X					결막	아니오	Enterovirus[b]
	Herpes simplex virus[b]	X					결막	아니오	CMV[b]
	Varicella-zoster virus						각막 도말	예	

표 20. 바이러스 분리를 위한 검체 지침[a] (계속)

분류	바이러스				검체	혈청	바이러스
발진/반구진	Enterovirus[b]	X		X	직장 도말 호흡기 분비물	아니오	Human herpesvirus 6[c]
	Measles/rubeola virus[c]	X		X		1쌍	Parvovirus B19[c]
						아니오	Rubella virus[c]
						아니오	
						1쌍	
수포	Enterovirus[b]		X				
	Herpes simplex virus[b,e]		X				
	Varicella-zoster virus[b]		X				
호흡기 감염	Adenovirus[b]	X			비인두도말	아니오	CMV[b] (기관지폐포세척액 내)
	Enterovirus[b]	X			비인두도말	아니오	
	Influenza virus[b,e]	X			비인두도말	아니오	Hantavirusc
	Parainfluenza virus[b]	X			비인두도말	아니오	
	Respiratory syncytial virus[e]	X			비인두도말	아니오	
	Rhinovirus[b]				비인두도말		

[a]CNS, 중추신경계; HIV, human immunodeficiency virus; CMV, cytomegalovirus; DFA, 직접 형광 항체법; EBV, Epstein-Barr virus; THR, throat; LES, 병변; URN, 요; CSF, 뇌척수액; FEC, 대변.

[b]바이러스 배양: 진단의 표준법. "Enterovirus"에는 역사적으로 echovirus, coxsackie A, B viruses로 분류된 것이 포함됨.

[c]혈청검사: 표준 진단법.

[d]western equine, eastern equine, St. Louis, California encephalitis viruses 포함.

[e]항원검사, 분자 검사를 사용할 수 있음.

표 21. 바이러스 검체 채취 지침[a]

검체 종류 (참고 문헌)	채취		수송 시간과 온도	반복 채취 제한	참고 사항
	지침	기구와 최소 양			
바이러스 검체 선택 지침은 표 7 참조(14, 23, 73, 74)	일반적으로 바이러스 검출을 위한 검체는 발병 4일 이내에 채취해야 하는데, 그 이후에는 바이러스 배출이 급격히 감소하기 때문이다. 발병 후 7일 이상 경과한 검체는 대부분 바이러스 배양을 할 필요가 없다.	혈액 (기관지폐포세척액, 뇌척수액, 요, 혈액) 외에는 모두 VTM에 넣는다.	대부분의 바이러스는 4°C에서 2-3일은 안정하고, -70°C에서는 거의 무기한 안정하다. -20°C로 냉동해서는 안 된다.		정확한 검사를 위해서 항상 다음 정보를 요청해야 한다: (i) 발병일, (ii) 검체를 채취한 날짜와 시각, (iii) 임상 시 진단명. 항상 급성기, 회복기 혈청의 채혈을 고려해야 한다.
혈액(14, 73)	1. 70% isopropyl alcohol로 정맥채혈 부위를 소독한다. chlorhexidine 제제 사용 지침 또는 아래의 내용을 따른다. 2. 2% iodine tincture로 채혈 부위부터 시작해서 동심원으로 소독한다. 3. 1분 정도 iodine하도록 둔다. 4. 이 시점부터는 정맥을 만지지 않아야 한다. 5. 8-10 ml를 항응고 시험관에 채혈한다 (바이러스 수송배지는 필요하지 않다). 6. 채혈 후에는 alcohol로 iodine을 닦는다.	Citrate, EDTA 또는 heparin 시험관. 8-10 ml/시험관. 백혈구 감소증이 있는 경우 시험관 2개 이상을 채혈해야 할 수도 있다.	실온	없음	흔히 분리되는 균: CMV, HSV. 드물게 분리되는 균: arboviruses, arenaviruses, EBV, HIV-1, enterovirus (신생아), Zika virus 초기 급성기에 혈액을 채취한다. 세포 분리가 필요한 검체는 실온을 유지한다. 냉장하지 않는다. Zika, Ebola virus와 같은 신종 감염병의 검체 관리에 대해서는 CDC나 지역 공중의료기관의 권고사항을 참조하고 따른다.

표 21. 바이러스 검체 채취 지침[a] (계속)

뇌척수액 (23, 58, 75)	1. 2% iodine Tincture로 채취 부위 소독. 2. 탐침(stylet)이 있는 바늘로 L3–L4, L4–L5, or L5–S1 사이 공간에 삽입한다. 3. 지주막하 공간까지 도달하면 탐침을 제거하고 2–5 mL를 멸균되고 새지 않는 시험관에 채취한다 (VTM은 불필요요).	멸균되고 뚜껑 여는 뚜껑이 달린 시험관 1.0 ml	4°C 에서 즉시 제출	없음	흔히 분리되는 균: coxsackievirus (일부), echovirus, enterovirus, mumps virus 드물게 분리되는 균 arbovi ruses, HSV, LCMV, rabies virus
자궁경부 모든 질 도말[b] (14, 23, 73)	1. 병변이 있으면 강하게 문질러서 도말한다. VTM에 면봉을 넣는다. 2. 병변이 없으면 면봉으로 자궁경부에서 점액을 제거한 후 면봉을 버린다. 3. 자궁경막내부에 새 면봉을 넣으 다음 면봉을 회전해서 5초 정도 강하게 채취한다(자궁경관으로 1 cm 이내로 삽입). 4. VTM에 면봉을 넣는다. 5. 두번째 면봉으로 외음부를 가볍게 문지른다; 두 면봉 모두 동일한 수송 시험관에 넣는다.	면봉	VTM에 즉시 넣을 것. 4°C에서 검체 제출.	1회/하루/부위	흔히 분리되는 균: HSV, CMV 매양 불가능능? papillomavirus, molluscum contagiosum virus 자궁경부 면봉 도말이 생식기 HSV 감염의 기왕력이 있는 임신한 여성의 모니터링에 표준 검체(specimen of choice)이긴 하지만, HSV 양성 확인이 외음(vulva)로부터 채취로 인해 증가 될 수 있다.
결막 도말[b] (14, 23, 73)	1. 멸균 생리식염수에 적신 신축성 있는 세축 면봉으로 하부 결막 부위를 도말한다. 2. VTM에 면봉을 넣는다.	면봉	VTM에 즉시 넣을 것. 4°C에서 검체 제출.	없음	흔히 분리되는 균: adenovirus; coxsackievirus A (일부), CMV, HSV, enterovirus (70 형 포함), Newcastle disease virus 결막 면봉으로는 아주 소량의 검 체만 채취하게 된다.

(다음 쪽에서 표 계속)

표 21. 바이러스 검체 채취 지침ª (계속)

검체 종류 (참고 문헌)	채취		수송 시간과 온도	반복 채취 제한	참고 사항
	지침	기구와 최소 양			
대변(23, 76, 77)	1. 깨끗하고 건조한 용기에 직접 넣는다. 2. 건조를 예방하기 위해 충분한 VTM을 첨가하거나, 2~4g의 대변을 멸균되었고 세지 않는 용기에 넣어서 검사실로 즉시 수송한다.	밀폐되었고 세지 않으며 입구가 큰 용기. 2g 이상	Transfer to 8~10 ml VTM. 4°C에서 검체 제출.	하루 1회	흔히 분리되는 균: adenovirus es; enteroviruses 가끔 분리되는 균: rotavirus Rotavirus 항원은 EIA로 검출한다.
비강 도말ᵈ(14, 23, 73)	1. 멸균 생리식염수에 적신 신축성 있는 세축 면봉을 콧구멍 안쪽으로 1~2cm 넣는다. flocked swabᵇ가 좋다. 2. 분비물을 빼앗기도록 5초 정도 둔다. 3. 면봉을 빼서 VTM에 넣는다. 4. 새 면봉으로 반대쪽 콧구멍에서 반복한다. 두 면봉을 같은 수송 시험관에 넣는다.	면봉	VTM에 즉시 넣을 것. 4°C에서 검체 제출.	하루 1회	흔히 분리되는 균: influenza virus, parainfluenza virus, rhinovirus (limited), RSV (비 인두도말이 더 민감함) Influenza A 바이러스, RSV는 보통 분자검사나 항원검사로 검출한다. Influenza 검사는 flocked swab을 사용하거나 비강 또는 비인두 세척액을 사용하는 것이 더 효과적이다.
비인두흡인, 세척액 (14, 23, 73)	1. 적절한 사이즈의 관이나 카테터를 비인두까지 밀어넣는다. 2. 작은 주사기로 흡인한다. 3. 흡인되지 않으면 환자의 머리를 70° 정도 뒤로 눕히고 3~7 ml의 멸균 생리식염수나 VTM을 콧구멍 때까지 주입한다. 4. 재흡인한다. 2 ml 미만이면 흡인물을 VTM에 넣는다. 2 ml 이상이면 필요 없다. 5. 4°C에서 즉시 이송한다.	바이러스 수송 시험관	8~10 ml를 즉시 VTM에 넣는다. 4°C에서 검체 제출.	하루 1회	흔히 분리되는 균: influenza virus, parainfluenza virus, rhinovirus (일부), RSV Influenza A 바이러스, RSV는 보통 분자검사나 항원검사로 검출한다. influenza virus의 shell-vial culture의 결과 보고시간은 24~48시간 이다.

표 21. 바이러스 검체 채취 지침[a] (계속)

비인두도말[b] (14, 23, 73)	코 하단에서 귀까지 거리의 절반 정도로 비인두까지의 거리를 가늠한다. 1. 신축성 있는 세축 면봉을 저항감이 느껴질 때까지 비인두 방향으로 넣는다. 2. 5초 정도 분비물이 흡수되도록 둔다. 그리고 조심스럽게 면봉을 제거한 후 VTM에 넣는다. 3. 세 면봉으로 반대쪽 콧구멍에서 동일하게 채취한다. 두 면봉 모두 동일한 수송 시험관에 넣는다.	면봉[b]	VTM에 즉시 넣을 것. 4°C에서 검체 제출	1회/1일	흔히 분리되는 균: influenza virus, parainfluenza virus, rhinovirus (일부), RSV 환자들, 특히 소아 환자는 시술 과정에 불편감을 느낄 수 있으므로, 미리 준비해서 신속하게 채취해야 한다. 그러나 검체는 반드시 비강이 아닌 비인두에서 채취해야 한다.
구강 도말[b] (14, 23, 73)	1. 구강 병변의 바닥을 면봉으로 강하게 문질러 채취한다. 2. VTM에 면봉을 넣는다.	면봉[b]	VTM에 즉시 넣을 것. 4°C에서 검체 제출	1회/1일	흔히 분리되는 균: enterovirus (일부), HSV
발진 반구진성 (14, 23, 73)	1. 멸균 생리식염수로 병변을 부드럽게 닦는다. 2. 병변 표면을 티끄린 후 병변 바닥으로 멸균 생리식염수로 적신 면봉으로 단단히 문질러서 채취한다. 3. VTM에 면봉을 넣는다.	면봉[b]	VTM에 즉시 넣을 것. 4°C에서 검체 제출.	1회/1회/부위	흔히 분리되는 균: adenovirus, enterovirus, rubella virus, measles virus (rubeola virus) 드문 분리균: poxviruses 배양 불가능: parvovirus B19
수포성 (14, 23, 73)	1. 오래되고 딱지가 생긴 수포는 살아 있는 바이러스가 들어 있지 않을 수 있으므로, 새로 생긴 수포에서만 채취해야 한다. 2. 멸균 생리식염수로 병변을 닦는다. 3. 주사바늘이나 메스로 조심스럽게 수포를 딴다. 4. 면봉으로 병변바닥을 강하게 문질러서 수포액과 세포 생검을 채취한다. 5. VTM에 넣는다.	면봉[b]	VTM에 즉시 넣을 것. 4°C에서 검체 제출	1회/1회/부위	흔히 분리되는 균: enterovirus (일부), echovirus, HSV, VZV 드문 분리되는 균: poxviruses VZV에서 가장 좋은 검체는 1 mL VTM에 넣은 수포흡인액이다.

(다음 쪽에서 표 계속)

표 21. 바이러스 검체 채취 지침[a] (계속)

검체 종류 (참고 문헌)	채취		수송 시간과 온도	반복 채취 제한	참고 사항
	지침	기구와 최소 양			
인후 도말[b]	1. 설압자로 혀를 눌러서 타액이나 볼, 잇몸의 오염을 예방한다. 2. 후인두, 편도, 염증 부위를 면봉으로 강하게 문질러서 채취한다. 3. VTM에 면봉을 넣는다.	면봉[b]	VTM에 즉시 넣을 것. 4°C에서 검체 제출.	1회/1일	흔히 분리되는 균: adenovirus, CMV, enterovirus, HSV, influenza A and B viruses, measles virus, mumps virus, parainfluenza virus 드물게 분리균: RSV
조직(14, 23, 73)	1. 병변 부위 바로 인접한 부위에서 조직/생검 검체를 채취한다. 2. VTM이 들어 있는 검체 용기에 검체를 넣는다.	VTM	4°C에서 검체 제출.	없음	언제나 조직은 최대한 많이 채취해야 한다. 표면을 문지르기만 한 면봉을 제출해서는 안 된다.
요도 도말[b]	환자는 채취 전 1시간 동안 소변을 보지 말아야 한다	면봉[b]	면봉을 VTM에 즉시 넣는다. 4°C에서 검체 제출.	1회/1일	흔히 분리되는 균: CMV. 남성 요로 (여성은 해당 없음)의 삼출물은 Neisseria gonorrhoeae를 가로 확인하기 위해 그람 염색을 시행할 수 있다. 그러나 삼출물로 바이러스 검사를 시행하지는 않는다.

표 21. 바이러스 검체 채취 지침[a] *(계속)*

	검체 채취 지침	검체 용기	4°C에서 검체 제출	1회/1일	
요	요 검체 채취 지침을 참고한다; 청결하게 배뇨한 중간뇨 5 ml를 멸균 용기에 넣는다 (VTM 불필요).	멸균 용기, 5 ml			흔히 분리되는 균: adenovirus, CMV, HSV, mumps virus 드물게 분리되는 균: polyomavirus (JC virus), rubella virus 소변에서 CMV를 확인하기 위해서는 일반적으로 분자검사를 쓰지만, 바이러스 배양으로 확인하려 할 경우에는 2–3일 동안 연속으로 채취한 소변을 사용하면 검출률을 높일 수 있다.

[a]BAL, 기관지폐포세척액; CSF, 뇌척수액; VTM, 바이러스 수송배지; RT, 실온; CMV, cytomegalovirus; HSV, herpes simplex virus; EBV, Epstein-Barr virus; HIV-1, human immunodeficiency virus type 1; LCMV, lymphocytic choriomeningitis virus; EIA, 효소면역측정법; ELISA, 효소결합면역흡착측정법; RSV, respiratory syncytial virus; VZV, varicella-zoster virus.
[b]면봉은 Dacron, rayon, 또는 면으로 되고 축은 플라스틱이나 알루미늄으로 된 것이 적합하다; calcium alginate 면봉이나, 나무 축으로 된 면봉은 적합하지 않다.

표 22. 기생충학: 진단 단계에 따른 해부학적 부위

기생충	진단 단계에 따른 부위[a]									
	BLD	CNS	눈	GI	L/S	Lung	LN	MUS	피부	기타
Acanthamoeba spp.		X	X						X(드물다)	
Ascaris 유충						X			X	
Balamuthia mandrillaris		X								
Babesia spp.	적혈구									
Cyclospora spp.				X						
Cryptosporidium parvum				X	X					
Echinococcus spp.		X			X	X				
Entamoeba histolytica				X	X					
Fasciola hepatica				X	X					담관
Hartmannella spp.		X								
구충, 유충						X				
Leishmania donovani	백혈구				X		X			골수
Leishmania spp.[b]									X	
Loa loa			X						X	이동 종창
미세사상충	혈장						X[c]		X[d]	
작은포자충			X	X		X		X		비뇨생식기

표 22. 기생충학: 진단 단계에 따른 해부학적 부위 (계속)

	BLD	CNS	GI	L/S	LN	MUS	RBC	WBC	기타
Naegleria spp.		X[e]							X
Onchocerca volvulus						X			X[d]
Opisthorchis sinensis[f]			X	X					
Paragonimus westermani			X						X
Plasmodium spp.	적혈구		X	X			X		
Schistosoma spp.			X	X					비뇨생식기
Strongyloides 유충			X	X					
Taenia solium		X[g]	X[g]	X		X		X[g]	
Toxoplasma gondii	백혈구	X			X			X	
Trichinella spiralis						X			
Trichomonas vaginalis									비뇨생식기
Trypanosoma cruzi	혈장	X					X		심장
Trypanosoma spp.[h]	혈장	X					X		

[a] BLD, 혈액; CNS, 중추신경계; GI, 위장관; L/S, 간/비장; LN, 림프절; MUS, 근육; RBC, 적혈구; WBC, 백혈구.
[b] *L. tropica*, *L. Mexicana* 복합체와 *L. braziliensis* 복합체를 포함.
[c] *Wuchereria bancrofti*와 *Brugia malayi*,
[d] *M. streptocerca*, *O. volvulus*를 위한 피부 절개.
[e] *Naegleria fowleri*,
[f] *Clonorchis sinensis*,
[g] 낭미충.
[h] *Trypanosoma brucei gambiense*와 *T. brucei rhodesiense* 포함.

표 23. 기생충 검체 채취 지침 (23, 28, 78–80)

검체 종류 (참고 문헌)	채취				반복 채취 제한	수송 시간과 온도	참고 사항
	지침	기구	보존제	최소 양			
혈액 직접 도말	1. 환자의 손을 따뜻한 찾을 수건, 비눗물 또는 여러번 문지르기 등으로 닦아 준다. 2. 70 % 알콜로 직신 손가락이나 손바닥면 옆을 소독한다(이물질이 쉽게 묻을 수 있으므로 손을 사용하면 안 된다). 3. 혈을 완전히 건조시켜야 한다. 전부 알콜은 팻방울이 한데 모이게 하지 않으며, 적혈구를 고정시켜서 후증 도말에서 염색이 잘 안되게 한다. 4. 멸균된 일회용 란셋으로 손바닥에 구멍을 뚫어서 피가 흐르게 한다.	후증, 박층 도말을 만드는 장슬롸 착용한다. 박층 도말: 1. 슬라이드 한 쪽 끝에 피 한 방울을 떨어뜨린다. 2. 다른 슬라이드를 45° 각도로 잡고 1의 슬라이드에 떨어트린 팻방울 위에 올려 놓는다. 3. 혈액이 2의 슬라이드 가장자리를 따라 퍼져 계도 다음, 반대쪽 방향으로 빠르게 밀어서 팻밀 모양으로 도말되게 만든다. 4. 슬라이드에 라벨을 붙이고 실온에서 건조하고 육안상 건조되었으면 즉시 염색한다. 후증 도말: 1. 손가락 위에 둥글게 맺힌 팻방울이 퍼지지 에 젓는다. 2. 슬라이드를 삼상 둘러서, 팻방울이 퍼져서 지름 2cm 정도의 넓이 되도록 만드나. 항응고제가 포함되지 않은 혈액이나면 혈액을 20~30초 저어서 응괴가 생기지 않도록 한다.				말라리아: 응급. 그외; 2시간 이내, 실온	도말 검체를 제조하기에 적합한 시간인데 *Babesia* spp.: 아무 때나 *Brugia malayi*[b]: 자정 무렵 *Leishmania donovani*[b]: 아무 때나 *Loa loa*[b]: 정오 무렵 *Mansonella ozzardi*[b]: 낮 또는 밤 *Mansonella perstans*[b]: 낮 시간대가 좋음 *Plasmodium* spp.[c]: 오한을 느끼는 사이에 *Trypanosoma cruzi*[b]: 급성기 *Trypanosoma brucei gambiense*[b,d]: 급성기 *Trypanosoma brucei rhodesiense*[b,d]: 급성기 *Wuchereria bancrofti*[b]: 자정 무렵: 임원 6, 12, 24 시간 후에 추가 도말 검사가 필요할 수 있음.
정맥 채혈	1. 사상충증, 바토넬라모충증, 더 중에는 디라만네편모충증 용 빼멜구아충 농축을 채취하려면 heparin 또는 EDTA 항응고 (혈액 10mL 당 0.002g) 전혈 10mL를 채취한다. 2. 심오에게 15분 이내에 검사실에 직접 제출한다. 3. 후증, 박층 도말을 만들어야 한다. 상단을 참조할 것.	진공채혈관	Heparin: 사상충증, *Trypanosoma* spp. EDTA: 말라리아; 참고사항 참조.	≥10 ml	1회/일	15분 이내, 실온	흔한 기생충: *L. donovani*, *Trypanosoma* spp. 미세사상충 말라리아 진단용으로 정맥 채혈은 권장되지 않는데, 도말을 1시간 이내에 만들어야 적혈구에서 반충이 관찰되기 때문이다. 그러나 실제로는 정맥 채혈을 훨씬 흔히 사용하며, 검사자도 적혈구 박층 유무와 관계 없이 말라리아를 검출하는 법을 익히게 된다.

표 23. 기생충 검체 채취 지침 (23, 28, 78–80) (계속)

뇌척수액, 중추신경계	뇌척수액 검체를 채취하는 법에 대해서는 "검체 종류: 뇌척수액" (표 15)을 참조.	멸균 시험관	해당 없음	≥1 ml	해당 없음	15분 이내, 실온	흔한 기생충: Acanthamoeba spp., Balamuthia mandrillaris, Echinococcus spp., larval cestodes, microsporidia, Naegleria fowleri, Taenia solium, Toxoplasma gondii, Trypanosoma spp.
십이지장 흡인물	1. 코위 영양관 (NG tube)이나 코 검사 (Entero-Test 캡슐)로 검체를 채취한다. 2. 흡인물을 멸균 원심분리 시험관에 넣고 15분 이내에 검사실로 직접 옮긴다. 검체는 반드시 채취 1시간 이내에 검사해야 하기 때문이다.	멸균 원심분리용 시험관	해당 없음	≥2 ml	해당 없음	15분 이내, 실온	흔한 기생충: Clonorchis sinensis (충란), Cryptosporidium parvum (난포체), Giardia lamblia (영양형), Isospora belli (난포체), Strongyloides spp. (유충). 코 검사를 시행하려면, 환자는 긴 끈이 달린 젤라틴 캡슐을 삼켜야 한다. 끈 한쪽 끝은 입 밖으로 빼서 빰에 붙인다. 캡슐이 위에서 녹으면, 끈이 십이지장으로 넘어 간다. 끈은 밤새 4~6시간 정도 그대로 둔다. 그 다음에 끈을 꺼내서, 끈이 끝에 기생충이 붙어 있는지 현미경으로 확인한다.

(다음 쪽에서 표 계속)

표 23. 기생충 검체 채취 지침 (23, 28, 78–80) (계속)

검체 종류 (참고 문헌)	채취			최소 양	반복 채취 제한	수송 시간과 온도	참고 사항
	지침	기구	보존제				
Eye: corneal scraping for *Acanthamoeba* spp. (38, 61)	1. 결막낭 또는 각막 상피에 국소 마취제 두 방울을 주입한다. 2. 멸균된 의료용 주걱(spatula)을 사용하여, 궤양, 객양, 병변을 긁어내주 긁은 것을 Page saline에 넣거나, 비 영양 한천 Page saline에 직접 접종해서 실험실로 수송한다. 3. 날이 있는 물질을 두 개의 깨끗한 유리 슬라이드에 놓은 후 염색하고 95% 에탄올로 즉시 고정한다 (공기 건조하면 낭충이 공기 중에 떠다닐 수 있다).	세균을 바른 비영양 배지나 Page ameba saline에 직접 접종한다.	Page's ameba saline	없음	없음	15분 이내, 실온	흔한 기생충: overlay *Acanthamoeba* spp., *Naegleria* spp. 필요할 경우에는 콘택트 렌즈, 렌즈 케이스, 모든 개봉된 안액 등을 염색해서 *Acanthamoeba*를 검사해볼 수 있다. (28).
대변 보존제 첨가 (39, 1, 81)	1. 깨끗하고 건조된 용기에 검체를 직접 넣는다. 2. 권장 시간 내에 검사할 수 없는 검체는 적절한 보존제(FOR, MIF, SAF, PVA)를 첨가해야 한다. 잘 혼합하고 실온에서 30분 정도 두어서 잘 고정되게 한다. 3. 보존제를 첨가하지 않은 검체는 아래의 권장 수송 시간 내에 반드시 수송해야 한다. 4. 기생충이 번으로 간헐적으로 배출될 수 있기 때문에. 7–10일 동안 3개의 검체를 제출한다.	멸균되었고 새지 않으며 입구가 큰 용기	FOR + PVA 또는 MIF + PVA 또는 SAF 또는 다른 일체형 보존제 고정을 위해 실온에서 30분 둔다.	대변 1개에 고정액 3개	1회/1일	제한 없음, 실온	흔한 기생충: 연충·원충 연충 대변 검체 채취 기준 (i) (기저귀 등)에서 채취해있거나 소변이나 물로 오염된 대변 (ii) 친공이 붙가 느하거나 건조된 검체 (iii) 비스무트, 바륨, 마그네슘. 경유, 담낭 조영제 등이 포함된 검체

표 23. 기생충 검체 채취 지침 (23, 28, 78–80) (계속)

	기생충과 주기의 고찰 / 검체	용기	보존제	양	회/일	이송 조건	비고
보존제 첨가가 안된 경우 (39, 81)	기생충과 주기의 고찰: *Ascaris lumbricoides*, 상시; *Dientamoeba fragilis*, 불규칙적; *Diphyllobothrium latum*, 불규칙적; *E. histolytica*, 7–10 일; *Giardia lamblia*, 3–7 일; Hookworm, 상시; *Trichuris trichiura*, 상시; *Schistosoma* spp., 불규칙적	멸균된, 샘 방지 처리된 뚜껑이 넓은 용기	없음	5 g	1회/1일	액체: 30분 이내, 실온. 반고형: 1시간 이내, 실온. 고형: 24시간 이내, 4°C	담낭 염색(21일)을 제외하고, 일반적으로 물질이 제거되기까지 기다리는 시간은 7일이다.
요충 패들 (Pinworm paddle) (81)	1. 패들(paddle)의 끈적거리는 면을 항문주위 여러 부분에, 항문주위 주름이 펴지도록 조심스럽게 누른다. 2. 패들을 수송배지에 넣고 뚜껑을 꽉 닫는다. 3. 환자 감염이 해결되었다고 확인될 때까지 매일(6일 이상) 시행해야 한다.	요충 패들 키트	없음	없음	1회/1일	24시간 이내, 실온	흔한 기생충: *Enterobius vermicularis*, *Taenia* spp. 밤 10–11시 사이 또는 깨어나서 화장실 가거나 샤워 전에 검체 채취가 제일 잘 된다. 채취 후 손을 잘 씻는다.
피부 절개 (13)	1. 날카로운 면도날로 피부낭로 피부에서 출혈이 없을 정도의 검체를 채취할 수 있다. 2. 대신, 바늘로 피부를 살짝 들어올리고 수술용 칼날로 바늘 아래 피부를 제거한다. 3. 피부 어디 부위든 괜찮으나, 중심선보다 약간 옆쪽의 등 가운데 부위를 흔하게 선택한다. 4. 절개된 피부를 0.2–0.4 mL의 식염수가 포함된 용기에 넣는다.	멸균 용기	멸균 식염수	없음	없음	15분 이내, 실온	흔한 기생충: *Mansonella streptocerca*, *Onchocerca volvulus*

(다음 쪽에서 표 계속)

표 23. 기생충 검체 채취 지침 (23, 28, 78–80) (계속)

검체 종류 (참고 문헌)	채취				반복 채취 제한	수송 시간과 온도	참고 사항
	지침	기구	보존제	최소 양			
피부 궤양	1. 피부 또는 점막 궤양의 염증이 있는 가장자리를 긁어내거나 생검을 채취한다. 변자 생검이 가장 좋다. 2. 검체의 습도를 유지하기에 충분한 멸균 식염수가 들어 있는 멸균 시험관에 넣는다.	멸균 시험관	멸균 생리 식염수	없음	1회/1일/부위	15분 이내, 실온	흔한 기생충: *Acanthamoeba* spp.; *Entamoeba histolytica; Leishmania* spp. *Leishmania* spp.에 대한 배양을 시행해야 할 경우에는 반드시 세균에 오염되지 않은 검체를 사용해야 한다.
요 *Schistosoma* spp.	충란은 정오에서 오후 3시 사이에 가장 많이 배출된다. 1. 정오에 채취한 요 검체를 멸균 용기에 채취한다. 2. 혈뇨가 있는 환자에서 충란은 점 액과 피가 같이 나오는 소변의 마지막 부분에 많이 있다.	새지 않는 멸균 용기	없음	전량, 정오 채취	1회/1일	2시간 이내, 실온	기생충: *Schistosoma haematobium; Strongyloides stercoralis; Trichomonas vaginalis; Wuchereria bancrofti*

표 23. 기생충 검체 채취 지침 (23, 28, 78–80) *(계속)*

| *Trichomonas* | 영양형은 남성, 여성 모두의 소변에서 발견될 수 있다. 1. 남성의 경우 전립선 마사지가 유용할 수 있다. 2. 첫 배뇨를 멸균 용기에 채취한다. 3. 실온에서 1시간 이내에 검사실로 수송한다. 수송이 지연될 경우 500 × g에서 5분 동안 원심분리하고 상층액을 제거하고 침전물에 0.2 ml의 멸균 식염수를 첨가한 후 실온에서 수송한다. 4. 침전물을 험마겸 습라이드에 도말하여 공기 건조 후에 (Papanicolaou) 염색에서 검경할 수도 있다. | 세지 않는 멸균 용기 | 없음 | Entire void | 1회/1일 | 1시간 이내, 실온 냉장 금지 | 검체는 실온에서 보관해야 하며 채취 후 1시간 이내에 처리해야 한다. 다른 방법으로는, 임상관련한 점전물을 Darcron 면봉에 흡착시켜서 Amies 배지에 넣어 수송하면 병원체가 24시간 동안 생존 가능하다. Calcium alginate 면봉을 사용해서는 안 된다. 상품화된 파우치를 사용하면 수송과 배양이 상대적으로 쉽다. Papanicolaou 염색으로는 *Trichomonas* spp를 감별하기 어려울 수 있다. |

---

[a]RT, 실온; CSF, 뇌척수액; CNS, 중추신경계; FOR, 10% formalin; MIF, merthiolate-iodine-formalin; SAF, sodium acetate-formalin; PVA, polyvinyl alcohol,
[b]배뇨구 연충 농축을 위해서는 해파린 항응고 혈에 10mL를 채혈한다.
[c]감염 6, 12, 24 시간 후에 추가 검사가 도말 검사가 필요할 수 있음.
[d]감염 후 6개월 이상 경과한 환자에서는 뇌척수액이 가장 좋은 검체이다.

203

References

1. Bartlett RC. 1985. Quality control, p 14–23. In Lennette EH, et al (ed), Manual of Clinical Microbiology, 4th ed. American Society for Microbiology, Washington, DC.
2. Carson JA. 2016. Wound cultures, Procedure 3.13. In Leber A (ed), Clinical Microbiology Procedures Handbook, 4th ed. ASM Press, Washington, DC.
3. Lipsky BA, Berendt AR, Deery HG, Embil JM, Joseph WS, Karchmer AW, LeFrock JL, Lew DP, Mader JT, Norden C, Tan JS, Infectious Diseases Society of America. 2004. Diagnosis and treatment of diabetic foot infections. Clin Infect Dis 39:885–910.
4. Lawrence JC, Ameen H. 1998. Swabs and other sampling techniques. J Wound Care 7:232–233.
5. Perry JL, Ballou DR, Salyer JL. 1997. Inhibitory properties of a swab transport device. J Clin Microbiol 35:3367–3368.
6. Helstad AG, Kimball JL, Maki DG. 1977. Recovery of anaerobic, facultative, and aerobic bacteria from clinical specimens in three anaerobic transport systems. J Clin Microbiol 5:564–569.
7. Basak S, Dutta SK, Gupta S, Ganguly AC, De R. 1992. Bacteriology of wound infection: evaluation by surface swab and quantitative full thickness wound biopsy culture. J Indian Med Assoc 90:33–34.
8. Veen MR, Bloem RM, Petit PL. 1994. Sensitivity and negative predictive value of swab cultures in musculoskeletal allograft procurement. Clin Orthop Relat Res (300):259–263.
9. Gardner SE, Frantz RA, Saltzman CL, Hillis SL, Park H, Scherubel M. 2006. Diagnostic validity of three swab techniques for identifying chronic wound infection. Wound Repair Regen 14:548–557.
10. Parikh AR, Hamilton S, Sivarajan V, Withey S, Butler PE. 2007. Diagnostic fine-needle aspiration in postoperative wound infections is more accurate at predicting causative organisms than wound swabs. Ann R Coll Surg Engl 89:166–167.
11. Sapico FL, Canawati HN, Witte JL, Montgomerie JZ, Wagner FW Jr, Bessman AN. 1980. Quantitative aerobic and anaerobic bacteriology of infected diabetic feet. J Clin Microbiol 12:413–420.
12. Miller JM, Astles R, Baszler T, Chapin K, Carey R, Garcia L, Gray L, Larone D, Pentella M, Pollock A, Shapiro DS, Weirich E, Wiedbrauk D; Biosafety Blue Ribbon

Panel; Centers for Disease Control and Prevention (CDC). 2012. Guidelines for safe work practices in human and animal medical diagnostic laboratories. Recommendations of a CDC–convened, biosafety blue ribbon panel. MMWR Suppl 61:1–102.

13. Leber A (ed). 2016. Clinical Microbiology Procedures Handbook, 4th ed, vol 1 and 2. American Society for Microbiology, Washington, DC.

14. Johnson FB. 1990. Transport of viral specimens. Clin Microbiol Rev 3:120–131.

15. Holden J, Hall GS. 2007. Collection and transport of clinical specimens for anaerobic culture. In Garcia LS (ed), Clinical Microbiology Procedures Handbook. American Society for Microbiology, Washington, DC.

16. Miller JM. 1999. A Guide to Specimen Management in Clinical Microbiology, 2nd ed. American Society for Microbiology, Washington, DC.

17. Clinical and Laboratory Standards Institute. 2012. GP17–A3. Clinical Laboratory Safety; Approved Guideline; Third informational supplement. Clinical and Laboratory Standards Institute, Villanova, PA.

18. Clinical and Laboratory Standards Institute. 2014. M29–A4. Protection of Laboratory Workers From Occupationally Acquired Infections; Approved Guideline; Fourth informational supplement. Clinical and Laboratory Standards Institute, Villanova, PA.

19. Clinical and Laboratory Standards Institute. 2015. M100–S25. Performance standards for antimicrobial susceptibility testing; Twenty–fifth informational supplement. Clinical and Laboratory Standards Institute, Villanova, PA.

20. Hagen JC, Wood WS, Hashimoto T. 1977. Effect of temperature on survival of Bacteroides fragilis subsp. fragilis and Escherichia coli in pus. J Clin Microbiol 6:567–570.

21. Humphries RM, Linscott AJ. 2015. Laboratory diagnosis of bacterial gastroenteritis. Clin Microbiol Rev 28:3–31.

22. Lew F, LeBaron CW, Glass RG, Torok T, Griffin PM, Wells JG, Juranek DD, Wahlquist SP. 1990. Recommendations for the collection of laboratory specimens associated with outbreaks of gastroenteritis. MMWR 39(RR–14):1–13.

23. Baron EJ, Miller JM, Weinstein MP, Richter SS, Gilligan PH, Thomson RB Jr, Bourbeau P, Carroll KC, Kehl SC, Dunne WM, Robinson–Dunn B, Schwartzman JD, Chapin KC, Snyder JW, Forbes BA, Patel R, Rosenblatt JE, Pritt BS. 2013. A guide to utilization of the microbiology laboratory for diagnosis of infectious diseases: 2013 recommendations by the Infectious Diseases Society of America (IDSA) and the American Society for Microbiology (ASM)(a). Clin Infect Dis 57:e22–e121.

24. Morris AJ, Tanner DC, Reller LB. 1993. Rejection criteria for endotracheal aspirates from adults. J Clin Microbiol 31:1027–1029.

25. Matkoski C, Sharp SE, Kiska DL. 2006. Evaluation of the Q score and Q234 systems for cost–effective and clinically relevant interpretation of wound cultures. J Clin

Microbiol 44:1869–1872.

26. Baron EJ, Cassell GH, Duffy LB, Eschembach DA, Greenwood JR, Harvey SM, Madinger NE, Peterson EM, Waites KB. 1993. Cumitech 17A. Laboratory Diagnosis of Female Genital Tract Infections. Coordinating ed, Baron EJ. American Society for Microbiology, Washington, DC.

27. Baron EJ, Weinstein MP, Dunne WM Jr, Yagupsky P, Welch DF, Wilson DM. 2005. Cumitech 1C. Blood Cultures IV. Coordinating ed, Baron EJ. American Society for Microbiology, Washington, DC.

28. Garcia LS. 2007. Diagnostic Medical Parasitology, 5th ed. American Society for Microbiology, Washington, DC.

29. Miller JM, Graves RK. 1984. Predictive value of culturing gastric aspirates of newborns and placental membranes. Clin Microbiol Newsl 6:125–126.

30. Nugent RP, Krohn MA, Hillier SL. 1991. Reliability of diagnosing bacterial vaginosis is improved by a standardized method of gram stain interpretation. J Clin Microbiol 29:297–301.

31. Meares EM, Stamey TA. 1968. Bacteriologic localization patterns in bacterial prostatitis and urethritis. Invest Urol 5:492.

32. Nickel JC, Shoskes D, Wang Y, Alexander RB, Fowler JE Jr, Zeitlin S, O'Leary MP, Pontari MA, Schaeffer AJ, Landis JR, Nyberg L, Kusek JW, Propert KJ. 2006. How does the pre–massage and post–massage 2–glass test compare to the Meares–Stamey 4–glass test in men with chronic prostatitis/chronic pelvic pain syndrome? J Urol 176:119–124.

33. Chapman AS, Bakken JS, Folk SM, Paddock CD, Bloch KC, Krusell A, Sexton DJ, Buckingham SC, Marshall GS, Storch GA, Dasch GA, McQuiston JH, Swerdlow DL, Dumler SJ, Nicholson WL, Walker DH, Eremeeva ME, Ohl CA, Tickborne Rickettsial Diseases Working Group, CDC. 2006. Diagnosis and management of tickborne rickettsial diseases: Rocky Mountain spotted fever, ehrlichioses, and anaplasmosis— United States: a practical guide for physicians and other health–care and public health professionals. MMWR Recomm Rep 55(RR–4):1–27.

34. Forman MS, Valsamakis A. 2011. Specimen collection, transport, and processing: virology, p 1276–1288. In Versalovic J, Carroll KC, Funke G, Jorgensen JH, Landry ML, Warnock DW (ed), Manual of Clinical Microbiology, 10th ed. American Society for Microbiology, Washington, DC.

35. Wilson ML. 1996. General principles of specimen collection and transport. CID 22:766–777.

36. Hambling MH. 1964. Survival of the respiratory syncytial virus during storage under various conditions. Br J Exp Pathol 45:647–655.

37. Romanowski EG, Bartels SP, Vogel R, Wetherall NT, Hodges–Savola C, Kowalski RP, Yates KA, Kinchington PR, Gordon YJ. 2004. Feasibility of an antiviral clinical trial requiring cross–country shipment of conjunctival adenovirus cultures and recovery of infectious virus. Curr Eye Res 29:195–199.

38. Gray LD, Gilligan PH, Fowler WC. 2011. Cumitech 13B. Laboratory Diagnosis of Ocular Infections. Coordinating ed, Snyder JW. American Society for Microbiology, Washington, DC.

39. Melvin DM, Brooke MM. 1982. Laboratory Procedures for the Diagnosis of Intestinal Parasites, 3rd ed. HHS publication no. (CDC) 82−8282. US Department of Health and Human Services, Atlanta, GA.

40. Ellner PD. 1978. Current Procedures in Clinical Bacteriology. Charles C Thomas, Springfield, IL.

41. Forbes BA, Sahm DF, Weisfeld AS. 2007. In Bailey & Scott's Diagnostic Microbiology, 12th ed, p 784−786. Mosby Elsevier, St. Louis, MO.

42. McHardy IH, Wu M, Shimizu−Cohen R, Couturier MR, Humphries RM. 2014. Detection of intestinal protozoa in the clinical laboratory. J Clin Microbiol 52:712−720.

43. McGowan KL. 2011. Specimen collection, transport, and processing: mycology, p 1756−1766. In Versalovic J, Carroll KC, Funke G, Jorgensen JH, Landry ML, Warnock DW (ed), Manual of Clinical Microbiology, 10th ed. American Society for Microbiology, Washington, DC.

44. Edwards MS. 1992. Infections due to human and animal bites, p 2234−2345. In Feigin RD, Cherry JD (ed), Textbook of Pediatric Infectious Diseases, 3rd ed. The W B Saunders Co, Philadelphia.

45. Goldstein EJC. 1989. Bite infections, p 455−463. In Finegold SW, George WL (ed), Anaerobic Infections in Humans. Academic Press, Inc, San Diego, CA.

46. Ellis CJ. 1991. The use and abuse of blood cultures. Infect Dis Newsl 10:27−30.

47. Kirn TJ, Weinstein MP. 2013. Update on blood cultures: how to obtain, process, report, and interpret. Clin Microbiol Infect 19:513−520.

48. Riley JA, Weinstein MP. 1991. Laboratory diagnosis of bacteremia and endocarditis. Infect Dis Newsl 10:4−6.

49. Ryan MR, Murray PR. 1993. Historical evolution of automated blood culture systems. Clin Microbiol Newsl 15:105−108.

50. Williams PP. 2010. Culture of blood bank products, Procedure 13.13. In Garcia LH (ed), Clinical Microbiology Procedures Handbook, 3rd ed. American Society for Microbiology, Washington, DC.

51. Larone DH. 2011. Medically Important Fungi. A Guide to Identification, 5th ed. American Society for Microbiology, Washington, DC.

52. Goldmann DA, Pier GB. 1993. Pathogenesis of infections related to intravascular catheterization. Clin Microbiol Rev 6:176−192.

53. Liñares J, Sitges−Serra A, Garau J, Pérez JL, Martín R. 1985. Pathogenesis of catheter sepsis: a prospective study with quantitative and semiquantitative cultures of catheter hub and segments. J Clin Microbiol 21:357−360.

54. Maki DG. 1980. Sepsis associated with infusion therapy, p 207−253. In Karan S (ed), Controversies in Surgical Sepsis. Praeger, New York, NY.

55. Simor AE, Roberts FJ, Smith JA. 1988. Cumitech 23, Infections of the Skin and Subcutaneous Tissues. Coordinating ed, Smith JA. American Society for Microbiology, Washington, DC.

56. Swartz MN. 1990. Cellulitis and superficial infections, p 796–807. In Mandell GL (ed), Principles and Practices of Infectious Diseases, 3rd ed. Churchill Livingstone, London, United Kingdom.

57. Gray LD, Fedorko DP. 1992. Laboratory diagnosis of bacterial meningitis. Clin Microbiol Rev 5:130–145.

58. Ray CG, Smith JA, Wasilauskas BL, Zabransky R.1993. Cumitech 14A, Laboratory Diagnosis of Central Nervous System Infections. Coordinating ed, Smith JA. American Society for Microbiology, Washington, DC.

59. Tunkel AR, Scheld WM. 1993. Pathogenesis and pathophysiology of bacterial meningitis. Clin Microbiol Rev 6:118–136.

60. Waites KB, Saubolle MA, Talkington DF, Moser SA, Baselski V. 2006. Cumitech 10A, Laboratory Diagnosis of Upper Respiratory Tract Infections. Coordinating ed, Sharp SE. American Society for Microbiology, Washington, DC.

61. Baker AS, Paton B, Haaf J. 1989. Ocular infections: clinical and laboratory considerations. Clin Microbiol Newsl 11:97–101.

62. Gilligan PH, Janda JM, Karmali MA, Miller JM.1992. Cumitech 12A, Laboratory Diagnosis of Bacterial Diarrhea. Coordinating ed, Nolte FS. American Society for Microbiology, Washington, DC.

63. Bannister ER. 1993. Clostridium difficile and toxin detection. Clin Microbiol Newsl 15:121–123.

64. Cohen SH, Gerding DN, Johnson S, Kelly CP, Loo VG, McDonald LC, Pepin J, Wilcox MH, Society for Healthcare Epidemiology of America, Infectious Diseases Society of America. 2010. Clinical practice guidelines for Clostridium difficile infection in adults: 2010 update by the society for healthcare epidemiology of America (SHEA) and the infectious diseases society of America (IDSA). Infect Control Hosp Epidemiol 31:431–455.

65. Harris JC, Dupont HL, Hornick RB. 1972. Fecal leukocytes in diarrheal illness. Ann Intern Med 76:697–703.

66. Carr DT, Karlson AG, Stilwell GG. 1967. A comparison of cultures of induced sputum and gastric washings in the diagnosis of tuberculosis. Mayo Clin Proc 42:23–25.

67. Van Enk RA, Thompson KD. 1990. Microbiologic analysis of amniotic fluid. Clin Microbiol Newsl 12:169–172.

68. Linscott AL. 2016. Collection, transport, and manipulation of clinical specimens and initial laboratory concerns Procedure 2.1. In Leber A (ed), Clinical Microbiology Procedures Handbook, 4th ed. American Society for Microbiology, Washington, DC.

69. Haley LD, Trandel J, Coyle MB. 1980. Cumitech 11, Practical Methods for Culture and Identification of Fungi in the Clinical Microbiology Laboratory. Coordinating

ed, Sherris JC. American Society for Microbiology, Washington, DC.

70. Sharp SE, Robinson A, Saubolle M, Santa Cruz M, Carroll K, Baselski V. 2004. Cumitech 7B, Laboratory Diagnosis of Lower Respiratory Tract Infections. Coordinating ed, Sharp SE. American Society for Microbiology, Washington, DC.

71. McCarter YS, Burd EM, Hall GS, Zervos M. 2009. Cumitech 2C, Laboratory Diagnosis of Urinary Tract Infections. Coordinating ed, Sharp SE. American Society for Microbiology, Washington, DC.

72. Versalovic J, Carroll KC, Funke G, Jorgensen JH, Landry ML, Warnock DW (ed). 2011. Manual of Clinical Microbiology, 10th ed. American Society for Microbiology, Washington, DC.

73. Gleaves CA, Hodinka RL, Johnston SLG, Swierkosz EM. 1994. Cumitech 15A, Laboratory Diagnosis of Viral Infections. Coordinating ed, Baron EJ. American Society for Microbiology, Washington, DC.

74. Cherry JD, Miller MJ. 1992. Use of the virology laboratory, p 2363–2369. In Feigin RD, Cherry JD (ed), Textbook of Pediatric Infectious Diseases, 3rd ed. The W B Saunders Co, Philadelphia, PA.

75. Chonmaitree T, Baldwin CD, Lucia HL. 1989. Role of the virology laboratory in diagnosis and management of patients with central nervous system disease. Clin Microbiol Rev 2:1–14.

76. Christensen ML. 1989. Human viral gastroenteritis. Clin Microbiol Rev 2:51–89.

77. Hedberg CW, Osterholm MT. 1993. Outbreaks of food–borne and waterborne viral gastroenteritis. Clin Microbiol Rev 6:199–210.

78. Shimizu RY, Grimm F, Garcia LS, Deplazes P. 2011. Specimen collection, transport, and processing: parasitology, p 2047–2063. In Versalovic J, Carroll KC, Funke G, Jorgensen JH, Landry ML, Warnock DW (ed), Manual of Clinical Microbiology, 10th ed. American Society for Microbiology, Washington, DC.

79. Nanduri J, Kazura JW. 1989. Clinical and laboratory aspects of filariasis. Clin Microbiol Rev 2:39–50.

80. Clinical and Laboratory Standards Institute. 2000. M15–A. Laboratory Diagnosis of Blood–borne Parasitic Diseases; Approved Guideline. Clinical and Laboratory Standards Institute, Villanova, PA.

81. Clinical and Laboratory Standards Institute. 2005. M28–A2. Procedures for the Recovery and Identification of Parasites From the Intestinal Tract; Approved Guideline; Second informational supplement. Clinical and Laboratory Standards Institute, Villanova, PA.

Index

ㄱ

객담 9, 61, 62, 124
검사실 보고서 44
검체 거절 기준 35
검체라벨 14
검체 이송 56
경기관 흡인액 127
골수 81
곰팡이 검체(진균 검체) 146
귀 155
기관지내시경–기관지 세척액 115
기관지 세척액 61
기관지 찰과술 61
기관지 폐 생검 61
기관지폐포세척액(BAL) 53, 61
기관 흡인 126
기생충 7

ㄴ

뇌척수액 82
눈 158
눈 검체 71

ㄷ

대변 99
대변 검체 7

ㄹ

리켓치아 검체 148

ㅁ

면봉 8, 15
무산소균 6
무산소성 검체 52

ㅂ

바이러스 운송배지 20
방광경 검체 137
방광 세척 140
비강 검체 119
비인두 검체 66, 121

ㅅ

생식기 검체 105
생식기 도말 검사 110
성매개 감염병 7
소변 63
소변 검체 8, 131
손위생 검체 44
십이지장 내용물 86

ㅇ

요검체 53
요관돌창자연결 141

요로 111
요충 충란 채취 92
위 내용물 90
음경 검체 111
인두 검체 129
인후 검체 66

ㅈ
자궁경부 혹은 자궁경부내막 108
자궁내막 검체 69
조직 생검 71
직장(직장 도말 검체) 95
질 검체 69

ㅊ
창상 검체 54, 64, 153
채취 과정 51
채취 시간 49
척수액 66
청결 채취 소변 134
치골 상부 흡인 138

ㅋ
카테터 26
카테터 소변 132

ㅍ
피부, 결합조직 162

ㅎ
하부 호흡기 검체 61
항문 도말 검체 95
혈액 검체 77
혈액 배양 6, 50, 77
호흡기 검체 113

환경 검체 41
흉막-흉강천자액 84

B
BAL 검체 61
Bordetella 6

C
Chlamydia 7
Chlamydia trachomatis 7
Chlamydia 배양 143

H
Herpes simplex 7
Human papillomavirus, HPV 7

I
Ileal Conduit 141

L
Lower Respiratory Tract Specimens 61

M
Mycoplasma 145

N
Neisseria gonorrhoeae 7

S
Sexually transmitted infections 7
Stool 7
Swabs 8

T

Treponema pallidum 7
Trichomonas vaginalis 7

U

Ureaplasma 145
Urine 8

V

Vaginitis 8
vaginosis 8
Viral transport media, VTM 20